WONDERFUL WORLD

원더풀 월드

너와숲

김지은 대본집

상

한순간, 모든 게 무너져 내렸다

WONDERFUL WORLD

원더풀 월드

너와숲

답답하고 어두운 현실 속에서 희망마저 보이지 않을 때 사람들은 현실을
담고 있거나 현실보다 더 힘든 드라마를 회피하고 싶은 심리가 있다고
생각합니다.
사실 '원더풀 월드'가 그런 드라마죠.
담장이 없는 밝은 드라마와는 달리 우리 드라마는 '담장'이 있었던 거
같아요.

그런 의미에서 보시는 것만으로도 감정 소모가 크셨을 텐데 발끝을 들고
담장 안을 들여다봐 주신 시청자분들께 가장 먼저 머리 숙여 감사드립니다.

더불어 이 쉽지 않은 이야기를 세상 밖으로 같이 끄집어내 보자고 손잡아
주신 분들께도 고마움을 전하고 싶습니다.

대한민국 원톱 여배우로서 지문 한 줄 한 줄도 허투루 보지 않고 손짓 하나,
걸음 하나 옮기는 것조차 작품의 전체적 구도와 심리를 생각해서 너무나도
디테일하게 신중하게 표현해 주신 김남주 배우, 전혀 밑바닥 인생을 그려
낼 수 없을 거 같은 외모로 거친 권선율이라는 캐릭터를 너무나도 섬세하게
때로는 신비롭게 때로는 비련하고 처연하게 그려 낸 차은우 배우를 비롯해
참여해 주신 모든 배우들.

로맨틱하지도 웃기지도 않는 무거운 드라마를 과감하게 편성해 주신 MBC.
언제나 든든한 힘이 되어 준 삼화 제작사와 보석 같은 기획팀 식구들.
따뜻하면서도 카리스마 있는 감독님과 모든 스태프들.
그리고, 이 대본집을 통해 꼭 세상에 알리고 싶은 이름.
부족한 저와 함께 묵묵히 끝까지 걸어와 준 '김효신 보조 작가', '천운 보조
작가'
모두에게 고마움을 전합니다.

아무리 힘들어도 결국엔 상처 받은 사람들이 연대하고 다시 일어서는
모습을 감히 보여 드리고 싶었던 거 같습니다. 무너지지 않고 살아가 주셔서
감사하다고 말씀드리고 싶었습니다.

부디 상실의 슬픔을 가진 모든 사람들이 편안해지기를…
세상이 그들에게 조금은 더 다정하기를…
아픔을 이겨 내고 있는 당신에게도 아름다운 세상이 오기를…
그래서 언젠가는 아픔이 덜한 시간에 가 있기를…

— <원더풀 월드> 中 —

작가 김지은

한유리 (임세미)

친자매
같은 사이

권선율 (차은우)

교도소
친구

장형자 (강애심)
장기수

선율의 친구

홍수진 (양혜지)
터프팅 공예가

박용구 (김우현)
폐차장 동료

권지웅 (오만석)
건설사 대표

오고은 (원미경)
식당 운영

정명희 (길해연)
수호 모

강태호 (강태호)
수호 동생

가족

모녀

가족

은수현 (김남주)
심리학 교수

강수호 (김강우)
보도국 국장

강건우 (이준)

수현의 이웃

윤혜금 (차수연)
금 갤러리 관장

윤희재 (진재희)
혜금의 아들

김준 (박혁권)
한국연합당 대표

은수현 〉 김남주 CAST

前 심리학 교수이자 작가

누구나 수현을 사랑했다. 긍정적인 생각, 사람의 마음을 잘 살피는 배려, 주변을 행복하게 하는 유쾌함까지. 그저 가만히 있어도 빛이 나는 사람, 그게 수현이었다.

매번 변화하고 끊임없이 새로워지는 마음이라는 것에 이끌려 심리학을 전공했고, 아는 것을 나누기 위해 교수라는 직업을 택했다. 가장 좋아하는 사람과의 사랑도 이루어졌고, 처음으로 쓴 책도 감당하기 힘들 만큼 넘치는 사랑을 받았다.

흠집 하나 없는 보석 같은 인생.
하지만, 불행은 소리 없이 수현을 할퀴었고,
추락은 끝이 없었다.

4번의 유산 끝에 간신히 얻은, 목숨보다 더 소중한 '건우'를 사고로 잃었다. 사고를 낸 가해자는 반성하지 않았고 그녀와 그녀의 아들을 조롱했으며, 결국 복수의 칼날로 가해자를 처단함으로써 전과자가 된다.

트라우마에 고통 받을 바에는 차라리 증오에 미치라고 했듯, 그녀는 자신의 복수를 후회하지 않는다.

차은우 CAST

권선율

미스테리한 인물

심장은 약했으나 강한 마음을 가졌던 아이.

선율의 삶은 늘 죽음에 더 가까웠다.
반드시 살아남아 자신처럼 아픈 아이들을
치료해 주겠다는 꿈을 지녔었다.
하지만, 사랑하는 가족을 잃고
그 꿈도 박살 났다.

유복했던 가정도, 안전했던 집도, 누렸던 모든 것들이 다
사라졌다. 벼랑 끝에서 선율은 아득바득 버티듯이 살아
냈다. 선율에게 남은 건 세상에 대한 증오뿐이었다.

그렇게 분노와 체념이 반복되는 일상에 익숙해질 무렵,
수현을 마주한다.

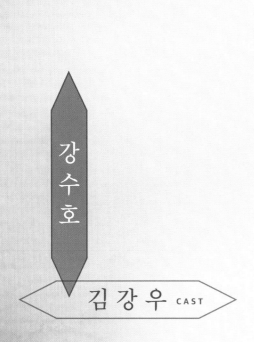

강 수 호

김 강 우 CAST

수현의 남편
前 기자, 現 보도국 국장

수호는 누구보다 수현과 건우를 사랑하는 남편이고 아빠였다.
두 사람을 위해서라면 목숨도 바칠 수 있는 남자,
그게 수호였다.

그러나, 그날의 사건이 벌어졌다.

아들이 죽었고, 아내가 살인자가 되었다.

한순간 잘못된 선택으로
걷잡을 수 없는 파국의 소용돌이 속에
빠지게 되는 남자.

수현의 친자매 같은 동생
前 수현의 매니저, 現 청담 편집 숍 대표

어린 시절, 차가운 길바닥으로 쫓겨날 때마다 오들오들 떨며 빌었다.
지금 이 불행들 다 참고 견딜 테니까 제발 한 번만 행복하게 해 달라고

임 세 미 CAST

한
유
리

그리고 유리는 수현으로부터 그 소원을 이루었다.
맹세컨대 유리는 수현과 고은을 자신의 목숨보다 더
사랑한다.

그런데 그해 여름,
그날의 사건으로부터 비극이 시작됐다.
그렇게 분노와 체념이 반복되는 일상에
익숙해질 무렵, 수현을 마주한다.

011

오 고 은 원 미 경 CAST

수현의 엄마, 식당 운영

고은의 이름은 엄마와 아버지가 머리를 맞대고 지어 주신 이름이다.

형자, 명자, 순이 같은 이름이 흔하던 그 시대에 부모님이 온 정성을 다해 지어 준
이름이 고은은 참 좋았다.

부잣집 외동딸로 태어나 이름처럼 곱게 살라고 지어 준 그 이름이…

그리고 이름보다 더 고운 딸 수현을 얻었다. 한데, 그렇게 곱게 키운 딸 수현이 자식을
잃고 거기다 살인자가 됐다.

고은은 수현을 감옥에 보내 놓고 먹지도 자지도 못했다. 그저 교도소 주변을 맴돌며
얼마나 목 놓아 울었는지 모른다.'

그래도 고은은 쓰러질 수 없었다. 어떻게든 내 딸을 지켜야 했으니까.

장 형 자 강 애 심 CAST

수현의 동료 수감자

지어서는 안 될 큰 죄를 저지른 뒤 20년을 선고받고 복역 중인 장기수.

삶의 의지를 잃고 무너져 가던 수현을 투박하지만 세심하게 챙겨 준다.

수현이 다시 일어설 수 있게 도와주는 인물.

강 건 우 이 준 CAST

수현의 아들. 6살

존재 자체가 사랑인 인물로 수현의 회상과 꿈에서 자주 등장하게 될 인물.

홍수진 / **양혜지** CAST

선율의 절친. 터프팅 공예가

선율의 오랜 친구. 유일하게 선율이 마음을 터놓을 수 있는 사람이다.
다양한 방면에 재주가 많아 선율이 필요할 때 도움을 주기도 한다.
현재, 터프팅 공예가로 활동하고 있다. 걸 크러시가 사람으로 태어나면 딱 수진의 모습이다.
직설적이고 털털하고 시원하고 솔직한 성격이지만,
유독 딱 한 사람, 선율 앞에서는 자꾸 삐거덕거린다.

박용구 / **김우현** CAST

선율의 폐차장 동료

선율의 절친. 선율의 일이라면 자신의 일처럼 도와주는 의리 있는 인물.

WONDERFUL WORLD

원더풀 월드

- 1화 -

이거이
나의
대답이다

1씬	D, 법정

긴장감이 감도는 가운데.

방청석의 수호(유리, 고은), 떨리는 시선이 닿는 곳.

피고석, 표정 없는 눈빛으로 앉아 있는… '수현'이다.

재판장	검사 측 구형하세요.
검사	재판장님. 동기를 감안하더라도 피고인이 앙심을 품고 고의로 보복한 점은 명백합니다! 따라서 검사 측은 징역, 10년을 구형합니다!
수호	(충격)
변호인	존경하는 재판장님. 피고인이 당시 심신미약 상태에 있었던 점, 피해자의 귀책사유가 크다는 점, 무엇보다 범행을 모두 자백하고 깊이 뉘우치는 점 등을 참작하여 선처해 주시기 바랍니다!
재판장	피고인, 최후 변론하세요.

바짝 타들어 가는 심정으로 바라보는 수호. (cut)

떨리는 고은의 손. (cut)

그 손을 꽉 움켜쥐는 유리. (cut)

수현, 고개를 숙인 채 천천히 자리에서 일어나고.
드디어, 적막을 깨며.

수현　　　그 일은… 잘못된 일이라고 생각합니다.

조금씩 흔들리는 수현의 눈빛 위로 어디선가 들리는 듯한.

플래시백
노을 속, 스프링클러에서 무지갯빛으로 솟구치는 물줄기. (cut)
그 속에서 물장난 치는 수현과 수호, 뛰어다니는 건우와 행복이. (cut)
불행이라고는 스며들 곳 없는 완벽한 그 순간,
'팡!' 평화가 깨지듯 물줄기들, 유리 조각이 되어 사방으로 흩어지며
쏟아지는 헤드라이트 속, 환했던 수현의 얼굴이 점점 분노와 슬픔으로 일그
러지며.

현재
수현, 그제야 서서히 고개 드는데, 점점 차갑게 식어 가는 눈빛.

수현　　　그렇지만, 저는… 다시 돌아간다 해도 같은 선택을 할 것입니다.
방청석　　(술렁술렁!)
수호　　　(안 돼! 수현아!)
유리/고은　(충격)

오직 흔들림 없이 똑바로 정면을 응시하는 수현.

수현	선처, 바라지 않습니다.

수현의 얼굴. (c.u)

'쿵!' 블랙아웃.

수현 e	모든 것은 그해 여름, 그날의 사건으로 시작됐다.

타이틀 <원더풀 월드>

2씬	(F.I) D, 대교

푸른 하늘 아래 시원하게 쭉 뻗은 대교 위를 달리는 고급 세단.

3씬	D, 세단, 보조석

차창 밖으로 하늘 높이 내민 손.
그 네 번째 손가락에 반지를 끼고 있는, 수현의 얼굴… 위로.

수현 e	그해, 나는 한국인 최초로 더블린 상을 수상했다.

4씬	D, 대형 서점 사인회

<더블린 상 수상 기념 '은수현 교수' 팬 사인회>
<'시절 인연'의 저자 은수현 작가와의 만남>

각종 플래카드 & 취재진의 플래시 세례 & 몰려든 팬들.
그 앞으로 박수갈채를 받으며 무대 위로 내딛는 발,
머리부터 발끝까지 빛이 나는… 수현의 아름다운 얼굴 위로.

수현 e 네 번의 유산 끝에 기적적으로 얻은 아이를 품에 안고서
나는 생각했었다.

INS *N, 병실 침대 위*
핏덩이를 품에 안고 땀으로 범벅된 수현의 북받치는 눈물 위로.

수현 e 이 이상의 행복은 감히 바라지 않겠다고.
그 어떠한 행운도 욕심내지 않겠다고.

수현에게 사인 받기 위해 길게 늘어선 팬들.
유리(베프이자 매니저), 사진 찍어 주느라 여념이 없고.
수현, 어떤 이와는 하이파이브, 어떤 이와는 포옹.
우아한 수현의 미소 위로.

수현 e 영광의 기쁨도, 감동의 울림도, 그저 스쳐 갈 시절 인연 같은 것.
내 인생 굽이굽이 함께할 영원불멸한 인연은 오직.

5씬 **노을, 수현의 전원주택 앞**
꽃다발 들고 차에서 내리는 수현, 벅찬 감정으로 올려다보고.

cut to 노을, 수현의 정원

수현, 들어섬과 동시에 터지는 폭죽과 함께.

M   팡파르 축하곡 반주

초 꽂힌 케이크 함께 들고 오는 수호와 건우.

수호/건우   상 받은 거 축하해! / 축하해~ 엄마~~!
행복   (3세 대형견, 덩달아 꼬리 흔들고)

수현 e   (그들을 벅차게 바라보며) 나의 가족.

건우   (신나서 재촉하며) 엄마, 얼르~은!
수현   어! (케이크를 향해서) 후~~~!
건우   (손뼉 치며) 와아아!

바비큐 파티하며 행복한 저녁을 보내는 수현의 가족. (cut)

보석 케이스 여는 수호의 손에, '다이아 귀걸이'
수현, 감동하면서 착용해 보면, 수호와 건우, 엄지 척! (cut)

수호 e   자 찍는다~~!

'수현과 건우, 행복이' 위로 맞춰지는 카메라 초점.

수현과 건우, 행복이, 카메라 향해 자세 잡고.

수호	하나, 둘, (장난기 발동했고, 스프링클러 버튼도 함께 누르며) 셋!

찰칵찰칵 파노라마로 터지는 셔터 소리와 함께, 솟구치는 물줄기.

수현/건우	앗, 차가워! / 꺅!
수호	(터지는 웃음)

수현, '좋아, 전쟁이다!' 정원에 수동 호스 집어 들고 물줄기 쏘고.
물장난 치는 엄마 아빠 사이를 까르르 뛰어다니는 건우와 행복이.
짙어지는 노을 속, 무지갯빛으로 반사되어 떨어지는 물줄기 아래,
불행이라고는 스며들 곳 하나 없는 그 완벽한 가족의 모습에서.

6씬　　**N, 부부의 방**

암막 커튼 아래 은은한 조명.
샤워 가운의 수현과 수호, 젖은 머리칼을 터는데
누가 먼저랄 것 없이 서로의 모습에 터지는 낮은 웃음.
수현, 수호의 젖은 머리칼을 수건으로 부드럽게 닦아 주고.
수호, 그런 수현을 그윽하게 보는데….

수현의 젖은 머리칼을 귀 뒤로 부드럽게 넘겨주는 수호의 손길.
수현, 수호의 미세하게 떨리는 부드러운 손길을 그대로 느끼고.
수호의 손가락, 아주 천천히 수현의 귀 뒤로 타고 내려와…
수현의 목덜미에 달라붙은 머리카락을 천천히 타고 더 아래로…
수현의 쇄골 깊은 골짜기를 간지럽히듯 부드럽게 미끄러지듯…

더 아래로…
그 달콤하고 묘한 적막 속, 오로지 두 남녀의 숨소리만이….

어느새 수현의 가운을 묶은 매듭을 부드럽게 푸는 수호의 손.
수호의 입술, 천천히 수현의 이마에… 수현의 눈꺼풀에…
젖은 수현의 목덜미에, 아름다운 쇄골에, 부드럽게 미끄러지듯,
수현의 발밑으로 '툭' 하면서 떨어지는 수현의 가운.

통창에 비친 두 남녀의 실루엣.
붉게 달아오른 공기.
수호를 감싸는 수현의 부드러운 손에 낀 반지,
어지러운 조명 불빛에 번쩍! 반사되면서.

7씬　　　**(O.L 3씬 연결) D, 대교, 고급 세단**
　　　　　　차창 밖으로 뻗은 수현의 손에서 햇살에 번쩍 반짝이는 반지로.
　　　　　　수현, 두 눈을 감고 햇살을 온 얼굴로 받는 그때.

M　　　　What a wonderful world

　　　　　　돌아보면, 운전석에서 미소 짓고 있는 유리,
　　　　　　마음껏 즐기라는 듯 볼륨 높여 주면, 음악에 몸을 맡기며.

수현 e　　그날, 나는 생각했다.
　　　　　　그 어떠한 불온한 생각 한 점 스며들 수 없을 만큼 참,
　　　　　　완벽한 날이라고.

표지판으로 보이는 김포공항.

8씬　　**D, 공항 주차장, 세단 안**

　　룸 미러 액자 사진 '물장난 치는 수현의 가족' (5씬)

유리　　(시동 끄다가 놀라서) 혼자 간다고??

수현　　(밝은 화이트 슈트 st.) 응. 넌 바로 가. (내리면)

유리　　(황급히 따라 내리며) 왜애? 나 왜 빼는데?

　　수현, 이미 트렁크에서 캐리어 꺼내며.

수현　　좀 쉬라고. 데이트라도 하던가.

유리　　(발끈) 뭐래? 할 남자도 없고요, 난 일이 더 좋네요. (도로 캐리어 뺏으며) 시끄럽고. 같이 가.

수현　　(다시 빼앗으며) 내 일정 소화하느라 너도 너무 무리했어.

유리　　그래도.

수현　　(O.L 기분 좋은 협박 톤) 말 들으시죠, 매니저님?

유리　　(더는… 어쩔 수 없어서) 그럼, 일단 도착하면 빌튼 호텔 관계자가 나와 있을 거니까 3시까진 숙소에서 쉬고, 난치병 환우들을 위한 책 수익금 기부 행사가 (얼른 휴대폰 확인하며) 어, 5시에 (그러다) 아니다, 그러지 말고 도착하자마자 나한테 바로 전화해.

수현　　(대답 대신, 유리의 손에 든 휴대폰 뺏더니 전원 버튼 끄면)

유리　　(당황) 언니?!

수현　　그게 쉬는 거냐? 이 시간 이후론 전화 받지 마. (휴대폰 도로 내밀며) 하지도 말고?

유리　　(아오!) 진짜 저놈의 고집은 어떻게 평생 한 번을 못 이겨?

	(졌다) 뉘뉘, 알아 모시겠습니다. 은수현 교수님?
수현	(미소, 트렁크 안 쇼핑백 가리키며) 저거나 까먹지 말고 챙겨 가고.
유리	(갸웃) 뭔데?
수현	낼모레 결혼식장 가야 된다며. 이거 입고 가.
유리	(고맙지만) 아무거나 입음 되지, 뭐 하러 쓸데없이 돈을 써.
수현	너한테 쓰는 돈은 하나도 안 아까워. 예쁘게 입고 가~ 신부 너무 기죽이지는 말고.
유리	(쳐다보면)
수현	왜.
유리	(코끝 찡) 내 인생에 어떻게… 언니 같은 사람을 만난 건지. 난 진짜 복 받은 년이다….
수현	(툭 쳐 주고) 간다~

그렇게 멀어지는 수현을 한참 동안 바라보던 유리.
쇼핑백 열어 보면, 정성스레 골랐을 원피스…
다시금, 수현이 사라질 때까지 바라본다….

9씬   **D, 수현의 집 거실**

e   띠링띠링 계속 울리는 휴대폰 알림 설정음.

수호의 [HMC 뉴스 영상]에 계속 올라가는 '좋아요' 수.
수호, 이게 무슨 일인가 싶어서 댓글들 보는데.

[갑자기 이분 조회 수 무슨 일?]

[이 사람, 은수현 작가님 남편이래요!]

[나도 은수현 님 방송 타고 성지 순례 중]

[근데 HMC가 방송국임? 첨 들어봄][여기 누가 봐요?]

[우리 집 개요ㅋ][말 넘심 ㅋㅋㅋㅋㅋㅋ]

[근데 이분 JBS에서 짤림? 거기서 본 거 같은데?]

담담하게 읽어 내려오던 수호의 시선, JBS에서 잠시 흔들리는 위로.

e   문 '쾅!' 소리.

10씬   **(회상) D, JBS 보도국**

사무실에 앉아 있던 기자 몇몇, 놀라 보면,

국장실 문 쾅 닫고 나오는 수호와 그 뒤를 따라 나오는 부장.

부장   (다급) 강 기자, 얘기 좀 해.

수호   아이템 발제부터 데스크 앞까지 올라가는 데만 1년 걸렸어요!

부장   알지.

수호   (O.L) 근데, 이제 와 갑자기 올림픽 취재를 가라? 이게 언론 탄압이지! 김준 눈치 보이니까 나대지 말고 꺼져라 이거잖아요!

부장   (답답) 이게 다 널 위해서야! 김준이 서울시장 된 게 우연 같냐? 대선 루트 탄 거라고! 지 앞길에 방해되는 거 가만 둘 것 같아?

수호   그러니까 캐서 얼마나 구린 인간인지 밝혀내야죠! (둘러보며) 니들 기자 맞아? 언제는 김준 잡자더니, 김준이 무섭긴 무섭나 봐? 국민 혈세로 부영동 개발이다 뭐다 하면서 지 곳간 채우는 거, 이거 밝히는 게 우리 일 아냐?! (쥐고 있던 사진 집어 던지면, 사진 속 김준. (c.u))

부장	그만해! 이러다 진짜 네 목이 먼저 날아가는 수 있어.
수호	(O.L) 우리는! 권력과 금력 등 언론의 자유를 위협하는 내외부의 개인 또는 집단의 어떤 부당한 간섭이나 압력도 단호히 배격한다!
	(서늘) 기자는 국민의 귀가 돼야 한다며 소주병 앞에 두고 기자강령 외쳐 대던 선배도 참, 기레기 다 됐네.
부장	(한 대 칠 듯이) 뭐 인마?!
수호	(목에 걸린 사원증 빼고) 목 날아가기 전에 내가 먼저 그만둡니다.

대차게 테이블에 던져지는 사원증 속 수호의 얼굴.

현재

자신을 조롱하는 댓글들을 바라보는 쓸쓸한 수호의 얼굴로 오버랩.

문득, 빅 데이터 기반으로 뜬 알고리즘 중 '수현의 영상'에 시선.

클릭하면.

영상   4씬, 수현의 사인회 영상

각종 플래카드 & 취재진의 플래시 세례 & 늘어선 팬들의 줄,

그리고 그 앞으로 박수갈채를 받는 무대 위 수현.

길게 늘어선 팬들에게 사인해 주는 수현의 환한 얼굴

그 아래, <폭발적인 조회 수와 좋아요 수>

어쩌 더 부끄러워지는 자신의 조롱 댓글들. 그때.

건우	아빠~!
수호	어어…! (달려오는 건우를 무릎에 앉히고)
건우	(영상 속 수현 보더니) 와, 엄마다!

수호	엄마 진짜 멋있다, 그치?
건우	응! (그러다) 건우, 아빠도 볼래.
수호	(순간 멈칫) 어? (머뭇) 아빠… 건… 재미… 없는데….
건우	(조르며) 아빠도 볼래애~

수호, 하는 수 없이 자신의 뉴스 영상 틀어 주면.

건우	(화면 속 수호 가리키며 좋아서) 아빠다! 건우 아빠다!
수호	(물끄러미) 아빠가… 그렇게 좋아?
건우	응! (엄지 척) 울 아빠가 최고야!

그래도 제 아빠라고 이렇게 좋아하는 건우를 보니,
잠시 씁쓸했던 마음, 따뜻해지고.
가만히 건우를 꼭 안으며 이마에 입 맞추는… 그 순간,
'어?' 황급히 건우의 이마에 손 갖다 대는데.

11씬	**D, 공항 라운지**

수현, 노트북으로 작업에 열중인 그때, 울리는 휴대폰.

수현	(반갑게 받으며) 어, 자기야.
수호 e	(다급) 아직 탑승 안 했지?
수현	어, (어째 목소리가 좀 다급한 게 느껴져서) 왜?

12씬	**D, 주방 / 공항 라운지 (교차 편집)**

수호	(주방 수납장 여기저기 열며) 건우 해열제를 못 찾겠네?
수현	(흠칫) 건우 열나?
수호	머리가 좀 뜨거워서 재 봤더니 미열이 있어.
	근데 계속 조금씩 열이 올라. 왜 저번에도 미열이라고 방심했다가
	40도까지 올라서 응급실 갔었잖아.
수현	… 주방 맨 왼쪽 아래 서랍 열어 봐. 거기 약통 있어.

수호, 시키는 대로 열면, 약통 안, 해열제라고 쓰여 있는 병 꺼내고.

수호	찾았다!
수현	(불안한) 하필이면 일요일이라 병원 문도 안 여는데.
수호	일단 약이라도 먹여 볼게. 고마워.

전화 끊는 수현, 어째 마음이 영 찜찜하고….

13씬	**D, 탑승구 앞 / 침실 바닥 아래 / 고은의 대형 식당 (교차 편집)**

수현, 걸어오면서 톡 창 확인하면.

수현 e	1 건우 열은 좀 어때?

아직도 사라지지 않은 '1'
수현, 어째 좀 불안해서 전화 거는 위로.

e	지금은 전화를 받을 수 없어….

'왜 안 받지?' 다시 거는데.

INS   **침실 바닥 아래**
아무렇게나 떨어져 있는 수호의 휴대폰 진동으로 울리고.
(액정 '수현')

e   지금은 전화를 받을 수 없어….

수현, 계속 받지 않는 수호 때문에 불안감은 점점 더 커지는 그때,
탑승구 직원, 탑승권 요청하고.
탑승권 보여 주면서도, '그래, 거기다 걸자!' 다시 걸면.

INS   **고은의 식당**
고은, 손님 응대로 정신없고. 액정에 '딸'이 뜨는지도 모른 채.

수현, 고은까지 받지 않자, 커지는 불안감. 순간 "참! 유리!"
황급히 또 통화 버튼 누르려는 순간.

플래시백   (8씬) 유리의 휴대폰을 꺼 버렸던 수현.

'아차…' 통화 버튼 누르려던 수현의 손, 힘 빠지고.
마침, 직원이 수현의 탑승권을 체크하고는 "즐거운 여행 되십시오."
수현, 더는 할 수 있는 게 없어 걸어 들어가려는데.

수호 e   근데 계속 조금씩 열이 올라.

결국 멈춰 서는 수현의 발.

수현   (더는 안 되겠다. 바삐 발길 돌려 나가며) 죄송합니다!

14씬   **늦은 오후, 공항 택시 정류장**

      수현, 다급하게 택시에 올라타며.

수현   (통화 중) 죄송해요, 본부장님, 좋은 자리 마련해 주셨는데 아이가 걱정돼서요.
      (서둘러 택시 기사에게) **동으로 가 주세요.

      cut to 늦은 오후, 공항 외경
      수현을 태운 택시, 빠르게 공항을 빠져나가고.

15씬   **어둠 속, 고급 술집, 프라이빗 룸 앞**

      문 열리며 전화 받고 나오는 지웅.
      닫히는 문 사이로 앉아 있는 남자(김준), 얼핏 보였다 사라지고.

지웅   왜. 급한 거 아니면 지금 바쁘니까 나중에, (순간 굳어지며) 알…았어, 지금 당
      장 가!

16씬   **늦은 오후, 수현의 전원주택 앞**

      혜금(30대, 앞집 여자), 희재가 자전거 타는 걸 카메라에 담는 중.
      (사진 B.G는 맞은편 수현의 대문이 보이도록)

혜금	옳지, 중심 잡고!

그때, 멈춰 서는 택시. 황급히 내려서는 수현.
그때.

희재	(해맑게) 어? 안녕하세여!
수현	(돌아보는데 반가워서 손 흔들며) 희재 안녕~!

혜금과도 얼른 눈인사 주고받고서 황급히 들어가는 뒷모습을,
뭐가 저리 바쁜가 싶어 쳐다보는 혜금의 눈빛.

17씬   **늦은 오후, 수현의 집 대문, 정원**
수현, 황급히 대문 안으로 들어서는데,
저기, 텐트에서 행복이와 노는 건우의 모습에.

수현	건우야!
건우	(눈 커지고) 어? 엄마다!
수현	(한걸음에 달려와 건우를 가슴에 안으며) 우리 건우 열났다며? 엄마 걱정돼서 돌아왔어.
건우	응, 아까 아빠가 (자기 이마 손으로 짚으며) 막 이렇게 했어. 근데 이제 안 아파, 건우가 약 한 번에 '꿀꺽!' 했어.
수현	(이마 짚어 보며) 어디? (안도하며) 그러네? 우리 건우 약 먹는 거 싫어하는데?
건우	응! 근데 건우 아프면 엄마 생일 파티 못 해, 소풍도 못 가.
수현	(기특) 그래서 꾹 참고 먹은 거야?

건우	웅! (손가락 두 개 펴서) 우리 두 밤 자고 소풍 갈 수 있지, 엄마?
수현	(사랑스럽고) 그러엄.
건우	신난다! (별 스티커가 붙어 있는 아이패드 건네며) 엄마, 이거 찰칵해 줘.
수현	뭐 할 건데?
건우	건우가 엄마 선물로 노래 불러 줄 고야.
수현	(웃으며, 동영상 버튼 눌러 주며 건네고) 자.
건우	(아이패드 뒤로 숨기면)
수현	왜?
건우	지금 보면 안 돼~
수현	(눈 가리는 시늉) 이러고 있어도?
건우	그것도 안 돼~ 엄마 먼저 들어가.

수현, 못 말리겠다는 듯 사랑스럽게 건우를 바라보고.

18씬　　**늦은 오후, 수현의 집, 거실**

수현, 막 현관으로 들어서면서.

수현	어딨어?
수호 e	(주방 쪽에서 놀란 목소리) 어? 주방에~
수현	(그쪽으로 걸어가는)

19씬　　**늦은 오후, 수현의 집, 주방**

수호, 막 작은 통에서 알약 꺼내 급히 털어 넣고, 마침 수현이 들어오자.

수호	(얼른 약통 뒤로 숨기고) 어떻게 된 거야? 비행기 안 탔어??
수현	(수호의 행동을 봤고) 어, 건우 열난다는 소리에 발길이 안 떨어져서.
수호	에이, 그냥 일시적인 거였는데. 약 먹고 바로 좋아졌어.
수현	(좋게 흘기며) 그러게, 전화 좀 받지.
수호	(흠칫) 전화했었어? (휴대폰 확인하더니 아차!) 나도 건우 땜에 정신이 없긴 없었나 보네, 근데 어떡하냐, 못 가서?
수현	아이가 아프다니까 양해해 주셨어.
수호	가만? 그럼, 내가 전화 안 받길 잘한 건가? 받았음 이렇게 내 앞에 안 나타났을 거 아냐?
수현	그래서? 좋아?
수호	생각지도 못한 선물을 받은 느낌?
수현	(턱 받치며 얼굴 가까이) 이렇게 예쁜 선물 본 적 있나.
수호	(더 가까이 다가간 채) 매일 아침, 눈뜨면 내 옆에…?
수현	(졌다, 흘기며) 어휴~
수호	(웃음)
수현	(같이 웃다가) 근데, 무슨 약?
수호	(당황) 어? (얼버무리며) 별거 아냐.
수현	뭔데? (하면서)

약통을 숨긴 수호의 팔을 잡아 빼는데,
방심하고 있던 수호, 약통 놓치며 바닥으로 촤악 흩어지는 알약들.
수현, 흠칫 놀라면서도, 천천히 약통 집어 들고 보면,
'신경안정제'

수호	(난감한 채…)
수현	(놀라 수호를 바라보며) … 언제…부터야?

수호	(모르길 바랐는데…) 그때, JBS… 그만두고부터. (애써 좋게) 걱정 마. 많이 좋아지고 있….
수현	(O.L. 수호 꼭 안으며) 미안.
수호	!
수현	(자책) 그렇게 오랫동안 약을 먹고 있었는데 어떻게 옆에서 아무것도 모르고… 나 지금 너무 부끄럽다.
수호	… 내가 더 부끄럽지. 당신한테 더 나은 모습 보여 주고 싶은데 뜻대로 잘 안되니까 한심하기도 하고….
수현	(본다) 수호 씨….
수호	(본다…)
수현	(진심으로) 괜찮아….
수호	(!)
수현	자기가 옳았잖아. 난, 그때의 당신 선택, 정말 존경스러워. 당신은 그 어떤 기자보다 정의로웠으니까.
수호	(어쩌면 그 말 한마디가 간절히 듣고 싶었을지도… 그만 조금 울컥) 고맙다….

그렇게 서로를 애틋하게 바라보는 두 사람. 그때.

e	(분위기를 깨듯) 행복이의 유난스럽게 짖는 소리.

수현/수호	(왜 저러지?)

20씬　　늦은 오후, 수현의 집, 정원

수현, 막 현관 열고 나와 텐트를 향해 걸어가며.

수현   건우야~ 이제 들어가자, (텐트 안 들여다보며) 건우야? (순간)

텅 빈 텐트.
'어?' 애가 어딜 갔나 싶어 둘러보는데,
또 짖어 대는 행복이 소리. 대문 쪽이다.

수현, 뭔가 불길한 느낌으로 서서히 시선 돌리는데,
대문을 향해 짖어 대는 행복이 앞으로… 반쯤 열려 있는 대문.

수현   저게 왜 열려 있…. (그제야, 온몸이 굳어 오는…)

수호   (뒤따라 나오며) 무슨 일 있어? (순간)

미친 듯이 뛰쳐나가는 수현의 모습에, 수호도 놀라고!

21씬   **늦은 오후, 수현의 전원주택 앞**
수현, 뛰쳐나와 이리저리 둘러보는데, 어디에도 보이지 않는 건우.

수호   (쫓아 나오며) 왜?!
수현   (점점 얼굴 사색이 되고) 건우가 없어!
수호   (놀라지만, 일단 수현을 안심시키려) 어디 근처에 있겠지, (황급히 찾으며) 건우야? 건
우야!

수현이도 얼어붙은 채 둘러보는데, 저기 뭔가를 봤고.

수현 (뭐지…?)

두렵게 다가와 멈춰 서는 수현 앞에… 놓여 있는 것.
'건우의 운동화 한 짝'

수현 (그제야 공포감 차오르며) 건우야아아!

22씬 **(점점 어두워지는) 동네 (몽타주)**

cut to 골목 일각
"건우야!" 미친 듯이 건우를 찾아 뛰어다니는 수호.

cut to 놀이터
수현, 정신없이 살펴보며 다니지만, 건우는 보이지 않고.

cut to 슈퍼 유리창 너머
수호, 가게 주인에게 이만한 아이 못 봤냐고 묻지만, 고개 젓는 주인.

cut to N, 어느새 어두워진 공터 주변
수현, 건우를 찾아 계속 뛰어다니지만, 보이지 않고.
실신할 것 같은 그때, 울리는 휴대폰.

수현 (다급하게 받으며) 수호 씨, 찾았어?
(미치겠고) … 왜 아직도 경찰서에서 연락이 없는데에…!!

그때였다.

저기 공터 끝자락, 번쩍이는 불빛, 몰려든 사람들, 웅성대는 소리.

수현, 불안감에 휩싸이며 그쪽으로 걸어가는데 조금씩 보이는…
경광등 켜진 경찰차. 그리고 다급하게 들것을 꺼내 드는 구급 대원들.

설마… 조금씩 더… 사람들을 헤치고 가까이 다가가는 수현…
서서히 온 세상의 소리가 거세되고.
오직 들리는 건 수현의 점점 커지는 거친 숨소리뿐… 드디어….

운동화를 든 채 서 있는 수현의 뒷모습 너머…
들것에 실리는 아이의 발에… 한쪽에만 신겨져 있는 운동화 한 짝….

그제야 이성을 잃은 채 막아서는 경찰도 뿌리치며 들것을 붙잡는데,
꼭 잠든 것처럼 누워있는 건우의 얼굴….

수현　　(멍… 그러다 점점 끓어오르는 절규, 무음으로) 안돼애애애애!!

온 세상을 뒤덮는 앰뷸런스 소리 커지다 점점 작아지며 암흑….

건우 e　　(저 멀리 어디선가) 까르르 건우의 웃음소리.

23씬　　**N, 한줄기 달빛 아래 정원의 텐트 앞**
　　　　　수현, 건우와 누워서는 서로 간지럼 태우며 장난치고.

건우	(까르르) 간지러워~!

수현, 건우를 꼭 품에 안고서 건우의 정수리에 입맞춤.

수현	좋다. 우리 건우 달달한 분 냄새.
건우	나도 엄마 냄새 좋아.
수현	엄마한텐 무슨 냄새 나는데?
건우	음… 예쁜 냄새. (하늘에 별 가리키며) 별 냄새.
수현	(잠시 반짝이는 별을 올려다보다가…) 건우, 별이 그렇게 좋아?
건우	응! 건우는 나중에 크면 별이 될 거야.
수현	왜?
건우	반짝반짝 빛나니까.
수현	음… 엄만 싫은데.
건우	왜애?
수현	너무 슬프잖아. 엄만 여기 있는데 건우는 저기 있으면.
건우	걱정 마. 건우가 엄마를 저기까지 날게 해 줄 거니까.
수현	진짜? 그럼 건우랑 같이 하늘을 나는 거야?
건우	응! 내가 손 꼭 잡아 줄 거야.
수현	(건우 손 꼭 잡으며) 이렇게?
건우	(신나서) 이렇게! 절대로 놓으면 안 돼.
수현	알았어. 절대로 안 놓을게, 절대로. (그 위로)

e	거친 숨소리와 다급한 발소리 엉키면서.

24씬 **(현재) N, 수술실 복도 / 수술실**

빠르게 돌아가는 베드 바퀴.

피 묻은 건우 손을 절대 놓지 않으려 꽉 쥐고 달리는 수현.

열리는 수술실 문.

따라 들어가려는 수현을 막아서는 의료진들.

더 꽉 잡아 보지만, 결국 수현의 손에서 놓치는 건우의 손.

들어가는 베드. 닫히는 수술실 문.

수현   (매달리듯) 건우야, 엄마 여기 있어!

           한 발짝도 안 움직이고 여기 있을게? 건우 곁에 있을게!

           수현, 벌벌 떨면서도 '괜찮을 거야! 그래. 아무 일 없을 거야…!'

25씬   D, 고은의 식당 앞

           활짝 문 여는 고은.

26씬   D, 고은의 식당

           벽에는 음식 메뉴들과 함께, 건우 사진과 상장들이 도배되어 있고.

           고은, 미역국 간 보는데, 마침 그 뒤로 들어서던 유리.

           문득 장난기 발동한 듯 몰래몰래 고은에게 다가와서는 와락 백 허그.

고은   에그 깜짝아! (그러다 유리인 줄 알고는) 놀랐잖아. 이것아.
유리   (웃다가, 늘어져 있는 음식들 보며) 헤에! 뭘 또 이렇게나 많이.
고은   수현이 생일이잖아. (저쪽 가리키며) 네 것도 챙겨 놨으니까 가져가.
유리   (속상) 손목도 안 좋으면서 이제 가짓수 좀 줄이시라니까.

고은	왜 줄여? (토닥토닥) 내 새끼들 먹일 건데.
유리	나중에 우리 슬플 건 생각도 안 하죠?
고은	응?
유리	이담에 엄마 없음 이거 볼 때마다 언니랑 나, 눈물 날 거 아냐.
고은	(좋게 혼내며) 울긴 왜 울어, 지금처럼 니들, 꼬옥 붙어서 의지가지하며 살면 되 지. (쓰다듬어 주며) 엄만 그거면 돼.
유리	(괜스레 뭉클. 마침 울리는 휴대폰, 액정 보더니) 어~ 언니. (고은이 음식 담는 걸 거들며) 나 지금 엄마 집. (어째 저쪽 반응이 좀 이상해서) 여 보세요?
고은	(힐끔)
유리	언니, 무슨 일… 있어?

잠시 듣던 유리, 순간, 들고 있던 반찬통 떨어뜨리고.
고은, 놀라 쳐다보고!

27씬　　　**D, 수술실 앞**

목석처럼 서 있는 수현.
그 모습이 애처로워서 수호, 천천히 다가와서는.

수호	(어깨 감싸며) 좀 앉아. 이러다 쓰러지겠어.

수현, 그제야 정신 들듯 내려다보는데 옷이며 손에 묻어 있는 피….

수현	(울컥) … 다, 내 잘못이야.

	내가 대문만 잘 닫고 들어왔어도, 애 혼자 두지만 않았어도.
수호	(안타깝고 애처로워서) 잘못한 사람은 따로 있는데, 왜 당신 탓을 해.
	(토닥이며) 당신 잘못 아냐.

수현, 마음이 갈래갈래 조각나는 듯한… 그러다 저만치
달려온 유리와 고은을 봤고….

유리, 그저 말없이 달려와 수현을 부둥켜안고 흐느끼는.
유리의 품 안에서 울음 꾹 참는 수현…
그러다 저기 망연자실한 채 서 있는 고은을 보자…
하마터면 참고 있던 눈물 쏟아질 뻔…
고은도 간신히 걸어와 수현을 꼭 안으며 흐느끼면….

수현	(목구멍까지 차오른 눈물을 삼키며) 다들 왜 울어… 울지 마.
	우리 건우… 꼭 깨어날 거야…. (그때)

드디어 열리는 수술실 문.
일제히 긴장된 채 나와서는 의사를 바라보고.

의사	강건우 보호자 분.
수호	(다급) 네! 선생님, 우리, 건우는요?!
수현	(심장이 조여 오고)
의사	(잠시… 수현을 보다가) 아드님… 상태가 좋지 않습니다.
수현	(?!)
의사	마음의 준비… 하셔야겠습니다.
수현	(순간 머릿속에 현 하나가 툭…)

고은	(털썩)
유리	(바들바들) 엄마!
수호	(믿을 수 없고) 서, 선생님. 제발 우리 건우 좀 살려 주세요. 살려만 주세요!
의사	(안타깝고) 좀 더 일찍 병원에 왔더라면… 죄송합니다. (자리 뜨면)

그제야 수호도… 비틀대듯 주저앉는데…
그러다… 손에 피가 나도록 바닥에 주먹질을 해 봐도…
사지가 찢겨 나가는 고통으로 견딜 수가 없는….

그 속에서 감히 눈물조차도 나오지 않는 수현만이…
여전히 넋 나간 채….

28씬   **N, 병원 외경 (시간 경과)**

29씬   **N, 병원 긴 복도**
한쪽 구석, 아무렇게나 처박혀 앉아 무표정하게 바라보는 수현….

e   어둠 속에서 울리는 휴대폰 알람.

자정을 알리는 12:00와 함께, [건우와 소풍 가는 날 ♡]
그때.

고은	(울컥) … 수현아.

수현, 무표정하게 천천히 고개 드는데….

고은   (입술 깨물며) … 왜 여기 이러고 있어.

수현   (멍한 채) 의사가… 나더러 마음의 준비를 하라는데…

근데 뭘 어떡하면 될지 모르겠어.

엄마…? 어떻게 하면… 자식을 포기할 수 있어…?

고은   (억장이 무너지는) … 수현아.

수현   (현실 부정하며) 아니. 이거 뭔가 잘못됐어. 나, 우리 건우 못 보내.

건우 살릴 수 있는 다른 병원 알아볼 거야. (박차고 일어나는데)

고은   (온 힘을 다해 수현을 꼭 안아 주는 것밖에는…) 이러지 마. 네가 이럴수록 건우만 더

힘들어….

고은   (울먹) 건우… 보내 주자….

수현   (그 소리에 고은 확 뿌리치며 무섭게) 엄마까지 왜 그래?

나 없인 밤에 잠도 못 자고 화장실도 못 가는 애야,

그런 앨 어디로 보내? 어떻게 보내!

고은   (O.L 아프지만 모질어야 한다) 그건 네 욕심이지….

수현   (순간 흔들리는 눈동자!)

고은   (아프지만 내가 해야 한다…) 너… 건우 봤어?

온몸에 주삿바늘 주렁주렁 달고, 그 어린 게 말도 못 하고 눈도 못 뜨고… 아

픈데 참고 있는 거야, (흐느끼며) 네가 보내 줄 때까지.

수현   (어떻게든 피하고 싶었던 말이었거늘…!)

고은   (견딜 수 없이 아프지만) 더는… 힘들지 않게… 이제 그만 보내 줘….

수현, 그만 심장이 무참히 갈기갈기 찢기는 듯한.

30씬   **N, 중환자실 (1인실)**

건우의 심장 박동 그래프, 위태롭게 움직이는…
천천히 들어서는 수현.
호흡기에 의지한 채 당장이라도 끊어질 것 같은 숨을 가늘게
내쉬는 건우…
그 건우를 향해 한 걸음 한 걸음 내딛는데….

cut to   요람 안, 배냇짓 하며 웃는 건우, 벅차오르는 수현.

cut to   매트 위, 간신히 뒤집기 성공하는 건우, 손뼉 쳐 주는 수현.

cut to   첫걸음마 떼는 건우를 향해 양팔 활짝 벌리는 수현.

cut to   자지러지게 우는 건우를 들쳐 안고 밤새 달래는 수현.
         어깨와 손목에 덕지덕지 붙어 있는 파스들.

cut to   건우의 이에 실을 묶고 하나~ 둘, 셋 하기도 전에 빡!
         놀라 빠진 이를 쳐다보다가 뒤늦게 울먹이는 건우.

cut to   초가 꽂힌 생일 케이크. '후~' 불더니 V 하는 건우.

드디어 건우 앞에 멈춰 서는 수현.
내려다보면, 시선이 닿는 곳… 건우의 긴 손톱….

수현   (그 손톱을 물끄러미 바라보며) … 간호사 님.

(디졸브)

수현, 건우의 손톱을 깎아 주고.

수현　　　다 됐다. 엄마 이제 잘 깎지?

대답 없는 건우…의 맨살…
수현, 가만히 입고 있던 카디건을 벗어 덮어 주고는….

수현　　　여기 너무 춥다, 울 애기, 추위도 많이 타는데….

잠시 잠든 건우의 얼굴을 보다가… 드디어….

수현　　　건우야…
　　　　　　이제 그만… 엄마랑… 집에 가자.
　　　　　　우리, 소풍도 가기로 했는데…
　　　　　　아픈 주사들 다 빼고… 이제 그만… 집에 가자, 건우야….

그때였다.

cut to　건우의 심장 박동기, '삐…' 심정지를 알리는 그래프.

요동치는 수현의 눈동자.
떨리는 손으로 다급하게 이 작은 생명을 움켜쥐어 보는데,
가지 말라고… 제발 이렇게 가지 말라고…
아무리 외치고 싶어도 목구멍에 막혀 울음소리조차 내지 못한 채 그저 건우

를 움켜쥐고 또 움켜쥐고…

저 뒤로 뒤늦게 달려오는 수호를 뒤로 한 채….

e   심정지 음 '삐…' (F.O)

31씬   (F.I) 늦은 오후, 흐린 날, 건우의 묘원

건우의 유골함 안치를 준비 중이고.

수현의 가족들과 유리, 모두 피 토하는 심정으로 오열하는데,

명희, 오열하다가 다리에 힘 풀리고.

태호(군복 입은) "엄마아!" 명희를 부축하며 함께 흐느끼고.

오직 유골함을 안고 있는 수현만이 아무런 표정 없이 멍하니…

수호, 건우의 영정 사진을 내려놓고 얼른 눈물 훔치고는 이제 유골함을 넣을

차례. 수현을 향해 손 내미는데.

수현, 품에 안은 건우의 유골함, 뺏기지 않으려는 듯 더 꽉 안고.

고은, 흐느끼면서도 달래듯 이리 내라 하지만,

수현, 발악에 가까운 몸짓으로 죽어도 뺏기지 않으려는 듯

어금니 꽉 깨물고 절레절레!

그 모습을 보는 가족들, 더 무너지듯 오열하는….

32씬   N, 어둑어둑, 비, 도로 (건우가 버려진 공터 근처)

달려오던 수호의 차, 갓길에 멈춰 서면,

차 문 열리더니, 상복 차림의 수현이 넋 나간 채 비틀대며 내리고.

맞은편에서 차가 오든 말든 오직 한 곳을 향해 걸어간다.

수호도 다급하게 따라 내려서지만 차마 쫓아갈 수 없어 아프게 지켜보기만….

cut to   N, 공터, 건우가 버려진 현장

건우가 쓰러졌던 모양대로 그려 놓은 흰색 락카 표시.

그 앞에 멈춰 서는 수현.

가만히 내려다보니… 마치 건우가 웅크리고 있는 듯한…

'이 차가운 바닥에서 얼마나 무서웠을까…'

수현, 천천히 앉아 건우가 누웠던 자리를 앉아 보는데….

감히 건우 앞에서는 목구멍 안으로 삼켜야만 했던 분노가… 슬픔이…

온몸을 난도질하며 터져 나오는.

그제야…!

처음으로 짐승 같은 울음을 토해 내는 수현.

인간이 감당해 낼 수 없는 극도의 고통 속에서 절규하며…

건우가 누웠던 자리를 끌어안고 또 끌어안으며…

그렇게 오열하며 오랫동안….

33씬　　**쏟아지는 뉴스 화면 / 사인회 수현 영상 (4씬) / 공터**

e　　한국인 최초로 더블린 상을 수상한 은수현 씨의 아들이 교통사고로 사망했

　　다는 안타까운 소식. (cut)

e　　얼마 전 어린이 보호구역에서 사망한 아이가 은수현 교수의

　　아들로 밝혀져 안타까움이. (cut)

화면

현장에 폴리스라인 쳐 있고, 경찰들 모습 보이고.

e   가해자는 사고 당시 피해 아동을 차에 태우고 도주, 유기하였고, 골든타임을
놓친 피해 아동은 결국 사망. (cut)

수현 e   세상 어디에도 건우는 없는데 매스컴 세상 속에는 건우로 가득 찼다.
나는 점점 더 무너졌고.

34씬   **D, 소방서 입구**
수호, 대원 1과 얘기 마치고 나오며 다이어리 펼치는데,
리스트들 쭉 쓰여 있는 위로 줄이 그어져 있고.

(~~· 사고 현장 목격자~~ / ~~· 응급실 내원 진단서~~ / · 구급 대원 진술서 / · 사망 신고서)

[~~구급 대원 진술서~~]까지 줄 긋고 나면, 남은 건 '사망 신고서'.
순간, 굳어지는 수호의 눈빛.

35씬   **D, 행정복지센터 안**
수호, 민원서류 테이블 쪽으로 걸어오는데,
출생 신고서, 전입 신고서, 그 사이에 보이는 '사망 신고서'
마침, 신혼부부가 출생 신고서 한 장 집어 가는 옆에서,
수호, 사망 신고서 한 장 꺼내 들고는…
담담하게 한 글자씩 적어 나가는데, '강…건…ㅇ'

잠시 멈추는 손… 다시 마저 써 내려가는. 강.건.우.

36씬   **D, 센터 화장실**

적막한 공기를 짓누르며 칸 안에서 들리는 수호의 숨죽인 흐느낌.

수현 e   그건 그도 마찬가지였다.

37씬   **D, 수현의 주방**

수현, 곰팡이 낀 김밥 재료들을 눌러보는 위로.

수현 e   그리고, 나는 죄인이었다. 자식을 지키지 못한.

           플래시백   (17씬) 건우 우리 두 밤 자고 소풍 갈 수 있지?

수현 e   그저 할 수 있는 일이라고는 매일 같이 그날로 돌아가는 꿈을 꾼다.

38씬   **(17씬의 다른 버전) 늦은 오후, 대문, 정원**

수현, 황급히 뛰어 들어오는데,
저기, 텐트에서 노는 건우에게로 달려가려다가, '아차!'
돌아보더니, '열려 있는 대문'을 꼭 닫는 위로.

수현 e   꿈속에서 나는, 건우가 나가지 못하도록 대문을 잠갔고.

39씬   **(17씬의 또 다른 버전) 늦은 오후, 대문, 정원**

건우의 손을 잡고 함께 현관으로 들어가는 위로.

수현 e   건우를 혼자 두지 않았으며….

40씬   **늦은 오후, 수현의 집, 대문 앞, 도로 (상상)**

손들고 건너는 건우 vs. 지웅의 달려오는 차.
부딪치기 직전, 건우를 간발의 차이로 품에 안는 수현.

수현 e   내가 더 빨랐다.

현재   D, 건우의 방

수현, 저기 벽에 걸린 유치원복을 올려다보는 텅 빈 눈동자 위로.

수현 e   하지만, 눈 뜨면, 또다시 지옥. 그저 매일 같이 기도할 뿐.
시간이 나를 죽음으로 데려가 주기를.

41씬   **D, 수현의 집, 정원**

수현, 건우와 함께 별을 봤던 곳에 천천히 드러눕는데…
이렇게라도 건우를 느끼고 싶어… 가만히 눈 감는… 그 순간,
어디선가 아득하게 들리는… '엄마~' 하고 부르는 소리.

수현   (파르르 미세하게 떨리는 눈꺼풀) 건우니…?!

cut to   D, 수현의 집, 대문 앞

수현, 문 벌컥 열고 나와 서자,

저 멀리, 노란색 유치원 버스에서 아이들 내려 엄마들 품으로…

희재도 혜금에게 달려가 안기고.

그 속에서 웃으며 달려오는 건우를 향해 수현이도 양팔 벌리는데,

사라지는 건우…

수현, 온몸으로 퍼지는 절망감….

42씬   **N, 밤거리 이곳저곳 (육교, 건널목, 유흥가, 어느 식당)**

정처 없이 걷고 또 걷는 수현. 진이 빠지도록 계속 그렇게….

cut to   N, 어느 식당 앞

수현, 더는 걸을 힘이 없어 멈춰 서는데…

창 너머, 가족이 평범한 일상 속에서 식사하는 걸 멍하니…

그때, 수현의 손을 꼬옥 잡아끄는 사람… 건우다.

cut to   N, 식당 안

보글보글 끓는 된장찌개를 앞에 놓고

수현, 나란히 앉은 건우를 바라보다가… 밥 한술 떠 건우 입에…

오물오물 잘도 먹는 건우의 입가도 닦아 주고… 또 물도 먹여 주고

건우도 밥 한술 떠서 수현 입에 넣어 주고.

수현, 눈물과 함께 꾸역꾸역 삼키고…

이게… 환상인 줄 알면서도… 어느새….

수현의 텅 빈 옆자리…

그제야 북받치는 슬픔으로 흔들리는 수현의 어깨… 그 위로.

수현 e   그래도 어떻게든 버티고 살아야 할 이유, 한 가지는 있었다.

43씬   **D, 서울고등법원 앞**

거대한 병풍처럼 서 있는 법원으로 한 계단 한 계단 올라서는 수현과 수호.

그녀를 향해 몰려드는 기자들, 정신없이 터지는 플래시들.

그 뒤로, 시민 단체의 목소리 울려 퍼지고.

"어린이보호구역 교통사고 강력 처벌하라!"

"힘내세요!", "꼭 이기세요!"

에스코트하는 수호와 함께 걸어가는 수현의 눈빛.

44씬   **D, 법정**

재판이 진행 중인 가운데, 건우의 담당의, 증인석에 앉아 있고.

지켜보는 수현과… 그리고 수호.

검사   환자 이송 당시 어떤 상태였습니까.

의사   CT 검사 결과 뇌출혈이 시작되고 시간이 좀 많이 지났는지 뇌가 많이 부어 있어서 응급 수술을 요하는 상태였습니다.

검사   만약, 환자가 사고 직후 바로 이송됐다면 다른 결과가 있었을까요.

의사   아무래도 뇌출혈과 장기 손상은 촌각을 다투는 위급 상황이기 때문에 지체 없이 병원에 도착했다면 사망에 이르지는 않았을 가능성이 충분합니다.

검사   (판사를 향해) 아이를 유기할 목적으로 태워서 뺑소니치지만 않았어도 아이는 살릴 수 있었습니다.

변호인	(O.L) 이의 있습니다! 오히려 피고는 아이를 한시라도 빨리 병원으로 데려갈 목적으로 태운 겁니다. 그런데 아이가 숨을 쉬지 않자 극도의 공포감 속에서 실수를 저질렀고, 자신의 행동이 옳지 않음을 자각하고는 바로 자수한 점을 참작해 주십시오.

(디졸브)

변호인, 앞으로 나서며.

변호인	존경하는 재판장님, 사고 당일에 관한 사실 확인을 위해 본 법정에 나와 있는 피해자의 어머니, 은수현 씨를 재정증인으로 신청합니다.

일제히 수현을 보는 사람들의 시선.
수호, 걱정되는 마음으로 수현을 쳐다보고.
유리와 고은도 긴장되는 가운데.

판사	은수현 씨, 받아들이시겠습니까?

서늘한 눈빛의 수현, 옆에 둔 영정 사진 속 건우를 보고는.

수현	(자리에서 일어나) 네.

담담하게 증인석으로.

수현	(선서문 들고) 양심에 따라 숨김과 보탬이 없이 사실 그대로 말하고 만일 거짓말이 있으면 위증의 벌을 받기로 맹세합니다.

변호인	(수현에게 따뜻하게) 우선, 사망한 아이에 대해 고인의 명복을 빕니다. (잠시 고개 숙이는)
수현	…
변호인	그날 피해자가 열이 났다고 했는데 맞습니까?
수현	네.
변호인	그런데도 출장을 가셨더군요?
수현	제가 출장을 가기 전에는 괜찮았습니다.
변호인	그렇군요. 피해자가 사고가 났을 당시, 증인은 어디에 계셨죠?
수현	집 안에 있었습니다.
변호인	피해자는요?
수현	정원에 있었습니다.
변호인	(안타깝다는 듯) 열이 난 아이가 밖에 혼자 방치되어 있었던 거네요.
방청석	(술렁)
수현	(흔들림 없이) 아이가 혼자서 하고 싶은 일을 하도록 기다려 준 것입니다. 방치가, 아닙니다.
변호인	그럼 아이는 평상시 어떻게 밖을 나갔죠?
수현	제가 열어 줬습니다.
변호인	그날 마지막으로 집으로 들어온 사람, 증인 맞죠?
수현	네.
변호인	집에 들어오시면서 문은 확실하게 닫았습니까.
수현	(보면)
판사	증인, 대답하세요.

순간, 수현의 요동치는 눈빛 위로.

플래시백 (17씬)

저기, 텐트에서 행복이와 노는 건우의 모습. (cut)

'건우야~' 황급히 들어서는 수현의 손, 대문을 닫은 것 같기도. (cut)

수현	(순간 혼란스러운) 기억이 잘… 나지 않습니다.
변호인	아이가 대문 밖으로 나갈 때까지 어머니는 전혀 알지 못하셨고요?
수현	(흔들리는…)
변호인	(방청객들을 향해) 아픈 아이를 밖에다 둔 채 집에만 있었던 어머니. 아이가 혼 자서는 '절대' 돌발 행동을 하지 않을 거라는 어머니의 그릇된 방심이 이 사 고의 시발점이라는 게 참, 안타깝습니다.
검사	(O.L) 이의 있습니다! 피고인의 변호인은 이 사건 피고인의 혐의 인정과 전혀 무관한 질문으로 피해자의 어머니에게 답변을 강요하고 있습니다!
판사	인정합니다. 변호인, 선동적 발언 자제하시고 계속 신문하세요.
변호인	(재판장을 향해) 이상입니다.

자리에 앉는 변호사와 귓속말 주고받으며 확신의 미소를 짓는 지웅.

그걸 보는 수현의 떨리는 눈동자.

(디졸브)

판사 e	2014 고합 1426 사건에 대해 선고합니다.

수호, 수현의 손을 꼭 잡아 주고, 수현, 차분히 올려다보는데.

판사	기소된 공소사실 중 도로교통법 위반의 점 및 교통사고처리 특례법 위반의 점에 대해서는 혐의를 입증할 증거가 부족하여 무죄를 선고한다.
수현	(무죄…?!)

수호	(벌떡 일어나며) 무죄라니요?!
판사	조용히 하세요. (계속) 특정범죄가중처벌등에관한법률위반(도주치사) 혐의에 관하여 살펴보건대, 목격자 진술 등 여러 증거를 종합하면 피고인의 혐의는 인정된다. 양형에 관하여 보건대, 이 사건으로 피해자가 사망하는 등 사안이 가볍다고 할 수 없으나, 다만, 피고인이 범행을 모두 자백하면서 뉘우치고 있는 점, 당시 사고 충격으로 당황하여 우발적으로 본 건 범행에 이른 점 등을 종합적으로 고려하여 피고인을 징역 2년 6월에 처한다.
수현	(!)
수호	(!)
판사	다만, 판결 확정일로부터 4년간 형의 집행을 유예한다.
수현	(충격)
수호	(다시 벌떡 일어나며) 말도 안 돼! 사람을 죽였는데 집행 유예라니?!
지웅	(변호인단과 소리 없는 환호와 악수)

그걸 보는 수호, 순간, 눈 뒤집히고 그대로 달려가 지웅을 덮치며.

수호	(주먹질하며) 이 개자식, 다 너 때문이야! (절규) 우리 건우 살려 내!!

비명 지르는 방청객들.
달려온 법정 경위, 수호를 거칠게 제압해 끌고 나가고.
수호, "놔!" 몸부림치다가 휴대폰 떨어뜨리고… 그때.

지웅	(얼른 방청석 향해 무릎 꿇고) 죄송합니다, 죽을 때까지 반성하며 살겠습니다. 정말 죄송합니다…. (울먹)

흐느끼는 지웅을 보호하며 데리고 나가는 변호인단.

이 난장판 속, 수현만이 얼어붙은 채. 꼼짝도 할 수 없는….

(시간 경과)

텅 빈 법정 안.
여전히 넋 나간 채 서 있는 수현… 그때,
바닥에 떨어져 있는 수호의 휴대폰에서 '띠링!' 문자 수신음.
수현, 멍하니 바라보다가 천천히 집어 드는데.

INS　　　*선배, 그 새끼 주소 땄어. 우리 단독 인터뷰 주기다?*

순간 수현의 눈동자 요동치고.

45씬　　　**N, 지웅의 2층 주택 골목가**
　　　　　막, 지웅, 통화하면서 택시에서 내리고.

지웅　　　의원님, 감사합니다! 말씀대로 집행 유예 받고 나왔습니다.

46씬　　　**N, 허름한 노포 식당**
　　　　　허름한 식당 분위기와 잘 어울리는 소탈한 등산복 차림의 김준.
　　　　　삭힌 홍어와 홍어 간을 소금에 찍어 씹어 먹으며.

　　　　　벽걸이 TV 속, 대법원 앞에서 지웅의 변호인단이 인터뷰 중.

김준	(보면서) 감사는 무신, 마, 망망대해로 나갈라 카는데 내 배에 탄 놈 선장이 책 임져야재, 오야, 알았다. (끊고, 소주 털어 넣고 지폐 내려놓으며 일어나면서) 아지매, 또 보입시더~

cut to   N, 허름한 노포 식당 앞

김준, 문 활짝 열고 나서는데,

그 앞으로 줄지어 늘어진 경호 차량들과 경호원들.

김준	(서늘한 눈빛) 가자.

cut to   N, 지웅의 2층 주택 골목가

지웅, 담배 피우면서 또 통화 중인.

지웅	어, 여보. 아냐, 집 앞이야, 곧 들어가… 내가 뭐랬어. 다 잘된다고 했지? (순간 굳어지며) 거 좋은 날 죽은 애 얘긴 왜 해? 지금 걔까지 신경 쓸 겨를이 어딨어?

담배꽁초 바닥에 툭 튕겨 던지고는 돌아서는데,

영정 사진을 들고 서 있는 수현.

지웅	(순간 움찔. 이내 곧 표정 가다듬고) 여긴 어떻게… 뭐, 용건이라도?

수현, 서슬 퍼런 눈빛으로 지웅에게 한 발짝 다가섬과 동시에

지웅, 움찔하며 뒷걸음.

수현	사과해…!
지웅	(뭐야 싶지만… 좋게) 아까 법정에서 충분히 죗값 받고 나왔는데?

수현	(O.L) 아니, 내 아들 앞에서…!
	정작 내 아들한텐 제대로 된 사과 한마디도 안 했으니까.
	내 아들은 죽었는데 아무 일도 없던 것처럼 그럼 안 되는 거잖아.
	그럼…! 내 새끼가 너무 불쌍하잖아.
지웅	(순간 이 여자, 왜 이러는지 알겠고) 아아~ 난 또 무슨 소린가 했네, 알았어, 알았어.
	(지갑 꺼내 들며 좋게) 얼마를 원하는데?
수현	(기막혀 얼어붙고)
지웅	막말로 난 이제 아무런 책임도 없다만 도의적으로 챙겨 주겠다고.
	나 같은 사람 만난 거 운 좋은 줄 아시고. (명함 꺼내 건네며) 자.
수현	(허…!)

수현이 명함을 받지 않자 대충 영정 사진 위에 올려놓는데 아래로 툭.
'에라 모르겠다.' 귀찮은 듯 지나치는 지웅.

마침 내리기 시작하는 비.
얼음장처럼 굳어 가던 수현, 서서히 고개 들고 양 주먹 꽉.
그대로 쫓아가 지웅의 팔을 거칠게 확 낚아채면.

지웅	(놀라 뿌리치며) 뭐하는 거야?!
수현	(서슬 퍼런) 사과해, 한 사람의 인생을 송두리째 망쳤으면, 똑바로 사과하라고!
지웅	(어이없고, 어금니 꽉) 고만합시다? 상대해 주는 건 여기까지니까.

지웅, 성질 누르며 다시 돌아서는데.

수현	(온 힘을 다해 더 세게 붙잡으며) 사과해! (와 동시에)
지웅	(확 수현을 밀어 버리며) 에이 썅! 진짜!

그 바람에 수현, 넘어지며 '와장창!' 건우 영정 사진도 깨지고.

지웅   (결국 터지며) 야, 너 내가 얽힌 사업이 몇 갠 줄 알아?
네 새끼 땜에 빵난 계약이 몇 갠 줄 아냐고?!
뒈져도 왜 하필 내 차에 뒈져 가지고!!

수현   (박살 난 아들의 영정 사진을 바들바들 떨며 보는 위로…)

지웅   (성질 같아서는 '콱!' 간신히 참으며 수현 앞에 쪼그리고 앉더니) 우리, 일 크게 만들지 말
자고~ (저기 바닥에 떨어진 명함 주워 수현의 가슴팍에 꽂아 넣어 주며) 산 사람은 살아야
지? 응? (격려하듯 수현의 어깨 톡톡)

일어나 멀어지는 지웅.

수현, 여전히 깨진 건우의 영정 사진을 보는데…
안 그래도 불쌍한 내 아이의 얼굴을 절규하는 심정으로 더듬는.
손이 유리 조각에 베여 피가 나는데도 아랑곳하지 않고.
그 피가 빗물과 함께 뚝뚝… 그 위로.

건우 e   엄마… 엄마….

그제야 수현의 두 눈동자에 뜨겁게 차오르는 살기.

수현 e   만일 내 대답이 세상으로 돌아갈 사람에게 하는 것이라 생각한다면,[1]

서서히 비틀대며 일어서는 수현. 손에서 피가 뚝뚝.

---

1   단테의 『신곡』 지옥 편에서 발췌

수현 e	이 불길은 더 이상 흔들리지 않으리라.

47씬   **N, 수현의 차**
저기 집 앞으로 걸어가는 지웅을 향한 수현의 핏발 선 눈동자.

수현 e	그러나 내가 들은 바로는 어느 누구도 이 심연에서 살아 돌아간 사람이 없으니.

시동을 켜는 떨리는 수현의 손에서 흐르는 피.

수현 e	나는 당신에게 아무런 수치심 없이 대답할 것이다.

그대로 온 힘을 다해 액셀을 밟는 수현.

놀라 돌아보는 지웅 얼굴로 쏟아지는 헤드라이트. (cut)

분노와 슬픔으로 응축된 살기 가득한 수현의 눈동자 위로.

수현 e	이것이 나의 대답이다.

'부우우우웅 쿵!!' 소리와 함께 블랙아웃!

1화 엔딩

48씬   **(에필로그) D, 법원 복도**

수갑 차고 나오는 수현의 얼굴 위로 정신없이 들리는 소리들.

"은수현 씨. 스스로 감형 거부를 한 게 사실입니까!"

선처를 바라지 않는다고 하셨는데 이유가 무엇입니까!"

"피해자 가족한테 할 얘기 있습니까!"

"항소하실 겁니까!"

그 순간, 서서히 시선 드는 수현.

수현   아니요, 저는, 후회하지 않습니다.

흔들림 없는 눈동자에서.

WONDERFUL WORLD

원더풀 월드

- 2화 -

아픔과
잘 이별할 수
있도록…

M	피아노 반주와 함께 들리는 노랫소리 <angel's song>

1씬 **(프롤로그) (과거) 핀 조명 아래, 무대 (학예회)**
산타클로스 옷과 루돌프 헤어밴드를 한 수현과 건우,
호수처럼 깊고 따스한 눈동자로 서로를 마주 보며 함께 부르는.

수현/건우 (손 꼭 잡고) 거룩한 밤 별빛이 찬란한데 거룩하신 우리주 나셨네

공터에 버려지는 건우 발. (cut)

수현 오랫동안 죄악에 얽매어서 헤매던 죄인 위해 오셨네

수현, 막아서는 경찰 뿌리치며 들것에 실린 건우를 향해 절규. (cut)

수현/건우 우리를 위해 속죄하시려는 영광의 아침 동이 터온다

결국, 눈을 감는 건우를 이대로 보낼 수 없어 오열하는 수현. (cut)

수현   경배하라 천사의 기쁜 소리 오 거룩한 밤 구주가 나신 밤

수현을 거칠게 밀치는 지웅의 욕설, 넘어지는 수현, 깨지는 영정 사진.
피 흘리는 손으로 사진 속 건우를 더듬는 수현. (cut)

수현/건우   (사랑 가득한 눈빛으로 절정을 향해) 오 거룩한 밤 거룩 거룩한 밤~

수현, 지웅을 향해 온 힘을 다해 액셀을 밟는. (cut)

e   부우우우우우웅 (산산조각이 나듯 충돌음) 쾅!

화면 블랙아웃.
다급한 사이렌 소리 점점 커졌다가 점점 작아지며….

타이틀 〈원더풀 월드〉

e   충격적인 소식입니다!

2씬   **(F.I) 쏟아지는 뉴스 화면 & 각 방송사 메인 앵커들의 열띤 보도**
화면   지웅이 살해된 집 근처 골목에 쳐지는 폴리스라인.
과학수사대, 지문 감식과 차량 감식, 증거물 사진 찍는 모습.

e	(빠르게) 얼마 전 어린이 보호구역에서 발생한 '강건우 어린이 사건'을 기억하실 겁니다. (cut)
e	(O.L) 건우 군을 죽게 만든 사고 운전자가 집행 유예 판결을 받고 집으로 귀가하던 중 살해. (cut)

화면   플래시 세례를 받으며 우아한 미소를 짓는 수현. (1화 4씬)

e	범인은 다름 아닌 건우 군의 어머니 은수현 교수로 밝혀져 온 국민을 충격으로. (cut)

INS　　*D, 거리 곳곳*

휴대폰으로 시청하는 사람들. 수현의 뉴스로 온 세상이 도배되고.

3씬　　**D, 법원 복도**

진을 치고 기다리는 기자들. 그때, 누군가, "저기 나온다!"

교도관들에게 둘러싸여 나오는 수현. 손은 수건으로 덮인 채.
순간 우르르 몰려드는 기자들.

"은수현 씨. 스스로 감형 거부를 한 게 사실입니까!"
"선처를 바라지 않는다고 하셨는데 이유가 무엇입니까."

수현, 이리 치이고 저리 치이면서도 굳게 다문 입.

한쪽에서는, 수현을 응원하는 시위단.

"은수현을 석방하라!" / "엄마는 죄가 없다!"

다른 한쪽에서는, 수현을 비난하는 시위단.
"살인자를 처벌해라!" / "보복 살인이 더 나쁘다!"

그때였다.

e   이거 놔!!

수현, 익숙한 그 목소리에 그제야 고개 들면,
저기 기자들을 뚫고 온 힘을 다해 달려오는 수호다.

수호   (달려와 수현의 손 움켜쥐며) 수현아!!

그 바람에 수건 바닥으로 '툭!' 수현 손에 포승줄 드러나자.

수호   (애끓는 심정) 아무 걱정 말고 있어! 내가 뭐든 할게!!
수현   (마음 단단히 먹었건만, 수호 앞에서는 흔들리는 마음) 미안해….

가슴이 터질 것 같은 수호, 어떻게든 수현의 손을 놓치지 않으려…
하지만 점점 미끄러지는 두 사람의 손, 결국 놓치고.

cut to   D, 호송 차량 창가
저 멀리 죽을힘을 다해 뛰어오는, 하지만 점점 멀어지는 수호를…
수현, 멍하고도 아픈 눈빛으로 돌아보는….

4씬	N, 성당 안

스테인드글라스가 오색 빛으로 비추는 내부.
고은, 넋 나간 채 비틀대며 걸어오고…
그 뒤를 당장이라도 울 것 같은 유리가 쫓는… 그 순간,
기어이 그대로 까무러치는 고은의 모습에.

유리	(놀라 부축하며) 엄마! 여기 좀 도와주세요! 누구 없어요?!

그 간절한 외침에 사방에서 달려오는 수녀들과 성도들.

5씬	**N, 케이블 방송국 외경**

6씬	**N, 케이블 방송국, 부조정실**

긴장된 분위기 속, 화면엔 기자 1이 현장에서 브리핑 중이고.
"현장 연결 끝나갑니다!"

PD	(인터컴 누르며 큐 사인) 쓰리, 투, 원, 앵커! (걱정, 스태프 1에게) 다음 뉴스 괜찮겠지?

앵커석 '수호'를 잡는 카메라 워크.

7씬	**N, 앵커석**

수호	네, 현장 소식 잘 들었습니다. 다음 소식입니다.

프롬프터 속 '은수현' 라는 이름을 잠시 보다가….

수호   살인 혐의로 기소된 은수현 씨에 대한 1심 판결이 오늘 낮 서울중앙지법에서 있었습니다. 재판부는, (조금씩 떨리는) 보복 살해하는 것은, 우리 사회에서 용납할 수 없는 반사회적 범죄라고 판시했으며,

프롬프터 속, <징역 7년을 선고하고 법정 구속했습니다.>

수호   징역, 7년을, (순간 침묵)

cut to 당황한 스태프들, "왜 저래?!"
cut to 진행 FD, 계속하라고 팔 힘껏 돌리고.

그 아수라장 속, 점점 더 굳어 가던 수호,
드디어 천천히 앵글을 바라보는 눈동자에 결심이 섰고.

수호   그저, 아이를 잃은 엄마였습니다.
그리고 법은! 그자를 용서했고, 이제 그녀를 범죄자라고 부릅니다.

cut to 부조정실, 흥분 "커트해! / 광고 넘겨!"

수호   (절박한) 시청자 여러분, 그녀가 왜 이런 선택을 할 수밖에 없었는지 단 한 번이라도 생각해 주십시오. 누가, 그녀를 심판할 수 있습니까!

(디졸브)

고개 숙인 채 서 있는 수호 얼굴 위로 던져지는 원고들.
꺼지라고 고함치는 국장 곁을 묵묵히 지나쳐 나가는 수호.

8씬　　**N, 수현의 집, 현관**
수호, 짐 담긴 박스 들고 들어서는데… 고요하다 못해 적막한 내부.

9씬　　**N, 주방**
수호, 표정 없이 즉석밥 한 개 전자레인지에 돌리고.
냉장고에서 김치 통 꺼내 그대로 식탁에 놓고 기다린다.
문득, 저기, 수저통에 꽂혀 있는 건우의 '뽀로로 젓가락'이 보이고…
싱크대에 걸려 있는 수현의 앞치마도 보이는….

기어이 수호의 눈동자에 조금씩 차오르는 눈물. 그때,
전자레인지에서 '땡' 하는 소리에,
수호, 즉석밥 꺼내 꾸역꾸역 삼키는데, 그제야…
사무치는 슬픔과 함께 무너지며 흔들리는 수호의 등…
그렇게 오랫동안….

e　　철커덩 소리.

10씬　　**N, 교도소 긴 복도**
정면을 응시한 채 앞으로 걸어가는 수현.
그 앞에 나타난 중간 철장.

교도관, 또다시 철커덩 열고, 그 안으로 들어서는 순간.

적막을 깨고 터져 나오는 함성!
먹이를 발견한 하이에나처럼 사방에서 철장에 매달리는 재소자들.
밥그릇과 플라스틱 통으로 탕탕 치면서 점점 커지는 환호 소리.
교도관, 삼단봉으로 저지해 보지만 소용없고.
수현, 그 어떤 표정 변화도 없이 묵묵히 계속 걸어가는.

cut to   N, 9번 방 앞
드디어 멈춰 서는 수현 위로.

교도관 e   신입자 재소 번호 4811. 은수현. 들어갑니다!

수현, 그렇게 들어서는 뒤로, '철커덩!' 닫히는 철문.

11씬   **D, 고은의 식당**
'개인 사정으로 인해 휴업합니다' 공지문과 함께 문 닫혀 있고.
식당 문에는 계란과 밀가루가 투척된 채로 얼룩져 있는.
락카로 '살인자'라고 여기저기 써 놓은.

12씬   **D, 대형 문고 건물, 옥외 현판**
사다리차 위에서 일꾼들, 현판을 뜯어내는 중이고.
<더블린 상 수상자 은수현, 당신과 나의 '시절 인연'>

cut to　차르르 바닥으로 향해 떨어지는 대형 현수막.
마치 나락으로 끝없이 낙하하는…
땅바닥에 아무렇게 뭉개져 있는 현수막.
현수막에 박힌 수현의 얼굴, 일꾼들에 의해 밟히는.

13씬　　**D, 대형 서점**

베스트셀러 진열대에 가득 진열돼 있던 수현의 '시절 인연'
빠르게 회수하는 직원들의 손.
'한국인 최초 더블린 상 수상! 은수현 교수 특별전' 피켓도 치워지고.
붙어 있는 수현의 포스터 사진, 직원의 손에 의해 뜯겨 나가고.
수현의 웃는 얼굴이 반쯤 찢어진 상태로 너덜너덜한 채.
(F.O)

14씬　　**(F.I) D, 교도소 외경**

떠오르는 태양과 함께, 우체국 차량, 막 정문에 멈춰 서고.

15씬　　**D, 교도소, 사회복귀과**

와르르 쏟아지는 방대한 양의 편지들.
방별로 분류하고 솎아 내는 교도관들의 빠른 손놀림.
분류된 편지들을 담은 상자를 들고 각자 구역으로 흩어지는.
교도관 중 한 명을 따라가는 카메라.

16씬	D, 긴 복도 + 9번 방 앞

방마다 편지 한두 개씩 넣어 주며 걸어가는 교도관,

드디어 9번 방 앞에 멈춰 서더니,

배식구(출입구) 통해서 토해지듯 쏟아져 들어오는 편지들.

재소자 1　히이이이! 이게 다 누구 거여~ 아주 그냥 우주 대스타 납셨네~

재소자들, 희희낙락, 자기들끼리 뜯어보고.

마치 시 낭송하듯 장난스레 읽으며 서로 낄낄대는.

재소자 2　이 세상 밖으로 나오는 그날까지 당신을 기다리겠습니다~

당신의 팬으로부터~~?

다들　('까아아악!' 한바탕 웃고)

교도관　(쓰읏!) 다들 조용히!! (저만치 구석을 바라보며) 4811! 면회다!

낡은 수첩에 무언가 적고 있던 형자, 슬쩍 돌아보면,

가슴에 4811 번호를 단 수현, 얼굴이 많이 상한 채….

교도관　(재차) 4811?

여전히 미동도 없이 시선도 주지 않는 수현.

17씬	D, 민원실 접견 신청 창구

수호, 초조하게 기다리는 그때.

교도관   면회, 거절입니다.

접견실 쪽을 바라보는 수호의 아쉬운 눈동자…
차마, 이대로 발길이 떨어지지 않아 한참을 그렇게 서 있는.

18씬   **D, 노을, 운동장**
교도관으로부터 받은 탄원서 봉투와 쪽지를 펼쳐 드는 수현.
한 장 한 장 넘겨보는데, 서명해 준 사람들의 이름, 연락처, 응원 메시지들.

(건우 엄마, 힘내세요./
저도 응원합니다/
절대로 지치지 마세요/
우리 같이 싸워 줄게요!/
(아이 글씨) 아줌마, 밥 잘 머거여.)

수호 e   수현아, 지금은 날 보는 것도 얼마나 힘든지 알아….

cut to   D, 민원실 구석
쪽지를 적어 내려가는 수호의 모습.

수호 e   조금만 참고 기다려 줘. 뭐든 해 보겠다는 약속, 꼭 지킬게.

수현, 아무런 표정 없이 올려다보는… 하늘에서.

(시간 경과 / 다른 날)

서서히 카메라 내려오면,
재소자들과 함께 유리문을 붙잡고 청소하는 수현.
마치 자신의 죄를 닦듯… 닦고 또 닦고.

19씬　　**D, 9번 방 화장실**

수현, 바닥과 벽면 타일에 치약을 묻혀 사이사이 칫솔로 닦고.

20씬　　**(교차) D, 법원 도서관**

법원 로고 보이는 아래, 수호가 지웅의 판결문을 보고 있다.
판결문 첫 장에 변호사 이름, 지웅의 건설사 이름, 주소에 형광펜으로 표시하
고 읽어 내려가는데,
'음주 측정했으나 혈중알코올농도 0.03퍼센트'에 밑줄을 긋고.

옆에 놓아둔 피의자신문조서를 넘기고 보면
'청담로16길 2 소재 술집에서 출발해 **사거리에서 우회전 후, 아이를 보지
못하고 충돌'
수호, 굳은 채 눌러보다가 수첩에 '청담로16길 2'를 메모하는.
휴대폰으로 주소 검색하는데, 미간 찌푸려지고.

수호　　(황급히 전화 걸며) 어, 김 기자!

21씬　　**D, 도로, 수호의 차 안**

운전 중인 수호 위로 아까 통화했던 내용 들리고.

김 기자 e	맞아, 청담동 크롬썬. 내로라하는 회장들이며 고위층들만 상대하는 회원제 룸살롱이야.
수호 e	그 새끼, 음주 수치 조작된 거 같아. 확인해 봐야겠어.

달리는 수호의 차량.
네비게이션에 찍힌 목적지 <청담로16길 2>

22씬　　**N, 클럽 앞 (고급 룸살롱, 크롬썬)**
수호, 정차하고, 올려다보는 눈빛.

(디졸브)

건물 뒤편, 껄렁대며 걸어 나오는 종업원, 주위를 살피더니 수호가 은밀하게 내미는 돈뭉치 챙기고는.

종업원	이거, 우리 사장이 따로 킵해 둔 건데 빨리 보고 빨리 줘요. (하면서)

쓱 건네는 USB를 받는 수호의 눈빛.

cut to　N, 수호의 차 안
수호, 노트북에 USB 꽂고 클릭하면.

CCTV 영상　회원제 룸살롱 내부
몇몇 웨이터들과 손님들, 지나가는 모습들… 그때,
프라이빗 룸 열리며 얼른 지웅 나오면서 휴대폰 받는. (1화 15씬)

수호, 긴장하는 눈빛.
지웅 뒤로 웨이터가 안주 들고 들어가는 문 사이로 보이는 얼굴,
다름 아닌 김준이고.

수호   (눈 커지고) 이 사람은…?!

23씬   **다음날, D, 교도소 작업장**
드르륵드르륵 재봉틀 돌아가는 소리.
재소자들, 일사불란하게 밟는 페달에 맞춰 날카로운 바늘들 상하로 빠르게
움직이고.
점점 쌓이는 작업물들. (각기 다른 그림이 그려진 손수건)
수현이도 묵묵히 주어진 일을 해내며 박음질하는.
또 다른 천을 작업대에 올려놓고 박기 시작하는데.

'테디베어가 별을 안고 있는'

순간, 별을 보는 수현의 눈빛, 조금씩 요동치는… 그 위로.

수현 e   건우, 별이 그렇게 좋아?

회상   N, 정원, 텐트 앞

건우   응! 건우는 나중에 크면 별이 될 거야.
수현   왜?
건우   반짝반짝 빛나니까.

수현	음… 엄만 싫은데.
건우	왜애?
수현	너무 슬프잖아. 엄만 여기 있는데 건우는 저기 있으면.
건우	걱정 마. 건우가 엄마를 저기까지 날게 해 줄 거니까.

현재

점점 더 요동치는 수현의 눈동자.
그동안 참았던 그리움이 '별'을 보는 순간 거세게 밀려오고.

재소자 1, 흥얼거리며 일하다 우연히 저기 수현을 보는데,
수현의 책상 아래로 뭔가 뚝뚝 떨어지는 게 보이고.

재소자 1	(미간을 찌푸리며 집중) 저게 뭐지?
	(순간 의자에서 떨어지며) 헉! 교, 교, 교도관니임!!!

다른 재소자들, 뭔 일인가 돌아보면,
수현의 오른손, 재봉틀에 빨려 들어가며 피가 사방으로 튀고.
그런데도 미동 없이 그저 '별'을 바라보는… 수현의 눈동자.

재소자들	(비명) 아악!!

그 순간, 황급히 수현의 손을 빼내 천으로 감싸 쥐는 형자.
하지만 금세 벌겋게 피로 물드는 천.

교도관	(달려와) 4811! 4811?!

수현, 텅 빈 눈으로 천천히 자신의 손을 감싼 형자를 올려다보고.
놀란 형자도 그런 수현을 애처롭게 내려다보는 위로.

교도관   (다급하게 무전 치며) 3 작업장! 응급 상황 발생!! (순간)

그대로 '픽' 형자 품에 쓰러지는 수현.
교도관의 "4811!! 4811!!" 울림 속에서 점점 의식이 꺼져 가는데.

24씬   **D, 꿈 (소풍)**
양손 가득 피크닉 가방을 들고 소풍을 온 수현의 가족들.
잔디에 돗자리도 깔고, 김밥과 과일들도 펼쳐 놓고,
그 가운데 촛불 켠 케이크도 내려놓고.

"생일 축하합니다~ 생일 축하합니다~ 사랑하는 우리 엄마~~
생일 축하합니다~"

'후~' 촛불을 끄는 수현과 손뼉 쳐 주는 수호와 건우.
그때 가지 못했던 소풍을 이렇게라도….

비눗방울도 불고, 잡기 놀이도 하고, 술래잡기도 하고.

수현 e   꼭꼭 숨어라, 머리카락 보일라~

수현, 미소로 돌아보는데… 저 멀리 건우가 보였다가 사라지는…
수현, 당황스러워서 이번에는 수호 쪽을 돌아보는데,

저 멀리 수호도 보였다가 사라지는…
그 넓은 공원 잔디밭 가운데 홀로 남은 채.
이리저리 뛰어다니며 사방을 둘러봐도. 그러다 저기 보이는 대문. 그 문을 여는 수현 위로.

(1화 17씬 연결)
텐트에서 행복이와 노는 건우의 모습. "어, 엄마다!"
"건우야!" 수현, 건우에게로 달려가면서,
잡고 있던 대문을 놓으려다 다시 움켜쥐며 제대로 '꽝!' 닫는. (슬로우)

그 위로, 바이탈 급격히 떨어지는 소리와 함께.

25씬   **D, 현재, 수술실**
수현의 눈꺼풀, 심하게 요동침과 동시에 혈압 급속도로 떨어지고.
수현의 손, 봉합 중인 다급해진 수술실 상황.
점점 더 아득해지는 수현의 의식.

26씬   **N, 병실 앞**
교도관, 지키고 있는 가운데,
고은, 의사에게 주의사항 듣는데, 아무리 꽉 거머쥐어도 자꾸만 덜덜 떨리는
고은의 손….

cut to   N, 병실 안

천천히 문 열고 들어서는 고은 앞에…
저기, 침대에 앉아 넋 놓고 창밖을 내다보는 수현의 뒷모습.

고은   (떨리는) 수현아….

천천히 고개 드는 수현…
수척해진 낯빛과 튼 입술, 헝클어진 머리와 꺼져가는 불빛 같은 눈.
여태껏 한 번도 본 적이 없는 빛바랜 딸의 얼굴에…

고은   (무너지며) 허…!

거기다 수현의 오른손엔 깁스가…
링거 꽂힌 앙상한 왼손에는… 차가운 '수갑'이 채워진. 그제야….

고은   (응어리가 터지듯) 너, 왜 이러고 있어? 내 딸이 왜…!
네가 나한테 어떤 딸인데… 내 딸이 왜 여기 이러고 있어…!!
수현   (고은을 멍하니 쳐다보다가) 엄마… 나, 대문 닫은 거 같아.
고은   (미치겠고) 수현아…?!
수현   (깁스한 손 내려다보며) 그날, 분명히 이 손으로 대문 닫았어.
고은   (수현을 붙잡고) 이제 와서 그게 무슨 소용인데! 언제까지 과거에 발목 잡혀 살
거야, 지금 네 꼴을 봐, 이러다 너까지 잘못되면!
수현   (점점 북받치는) 나는 정말 닫았는데… 건우가 어떻게 나갔지?
건우 혼자선 대문도 못 여는데… 한 번만 더 확인해 볼 걸, 한 번만 더…! (하
면서 깁스한 손, 바닥으로 '쾅! 쾅!' 내리치고)
고은   (붙잡고) 안 돼! 수현아, 이러지 마!
(수현 손에 채워진 수갑을 흔들며) 이것 좀 풀어 줘요!

애 아픈데 이것 좀 풀라고! (미친 듯이 잡아 흔들며) 이거 풀라고오!!

고은, 수현을 꼭 부둥켜안아 주고.

27씬　　**N, 수호의 서재**

수호, 쌓여 있는 관련 자료들을 바탕으로 유리창에 도표를 완성하는.

지웅 사진 (40대 후반)

- 재화건설 대표

- 前 재화용역 대표

　김준 서울시장 당시 부영동 개발 용역업체 선발

(재화건설 오픈식 때 김준 참석 사진)

박OO 판사 사진 (51세)

- S대학교 법과대학 졸업

- 사법연수원 26기 → 김준 검사 시절 선후배

- 現 서울고등법원 판사

- 前 부산지방법원 판사

(김준과 어깨동무하고 함께 찍은 사진)

황OO 변호사 사진 (56세)

- S대학교 법과대학 졸업 → 대학 동문

- 사법연수원 21기

- 現 해송로펌 변호사

- 前 서울지방법원 판사

(졸업 사진에 김준과 황 변호사 얼굴에 동그라미)

김OO 경찰서장 (50대)

- 現 청담경찰서장 (지웅 형사 사건 관할)

- 前 부영경찰서 과장 → 부영동 개발 당시 관할

(김준 시장 당시 회식 자리에서의 사진)

그리고 모든 인물의 화살표가 집중된 한 가운데, '김준'

- 現 28대 국회의원

- 前 34대 서울시장

- 前 부산지방검찰청 검사

'이제야!' 가닥이 잡히듯 '김준' 두 글자를 동그라미 치는 순간.

e   휴대폰 벨 소리.

28씬   **N, 김준의 의원실**

고급스러운 가구들로 채워진 모던한 사무실 가운데,

꼿꼿이 앉아 있는 수호, <국회의원 김준> 명패를 눌러보는 그때,

보좌관의 에스코트를 받으며 들어오는 김준.

김준   아이고마~ 사람을 불러 놓고 이래 기다리게 해서 우얍니까.

뭔 놈의 말들이 그래 많은지 회의가 길어졌습니다.

(앉으며 손 내밀고) 김준입니다.

수호   (그 손 잠시 내려다보다가 잡아 주며) 강수호입니다.

김준	알지요. 기자님, 이 김준이 굴뚝에서 연기 찾다가 옷 벗었단 얘기 듣고 얼매나 맴이 안 좋던지.
수호	(쓴 미소) 이제 와서 저를 위로해 주려고 부르신 건 아닐 테고?
김준	(묘하게 눌러보다가) 술집 아까지 매수해가 뭣 좀 알아냈십니까.
수호	(시니컬한 미소) 제 아들 그렇게 만든 놈이랑 각별한 사이였더군요? 사건 당일에도 함께 술 마셨던데.
김준	자리에 있었다고 해서 다 술을 먹는 건 아니지요.
수호	그러니까요. 술도 안 마신 새끼, 뭘 그렇게 온 인맥까지 동원해서 빼내려고 안달이셨을까.
김준	(미소) 증거, 있십니까.
수호	음주 기록을 조작할 수 있는 관할경찰서장, 그놈을 집행 유예 판결 냈던 박OO 판사, 그놈을 담당했던 해송 변호사까지, 모두 한 사람으로 통해 있는 건 어떻게 설명하실 건가요, 김.준. 의원님?
김준	거 기자님, 기사를 쓰셔야지 소설을 써가 되겠십니까.
수호	혹시 말입니다. 국회의원씩이나 되는 분께서, 한낱 건설사 대표인 그 새끼를 이렇게 무리하며 빼냈어야 하는 이유, 제가 캐고 다니던 부영동 비리와 관련이 있습니까.
김준	(헛웃음) 아직도 그 얘깁니까. 애먼 데 매달리가 세월 배리는 것만큼 아까운 게 어딨다꼬.
수호	(서늘) 그 새끼 부영동 개발 때 용역업체 대표던데.
김준	(본다)
수호	그때부터 차기 대통령을 노리는 의원님의, 중요한 오른팔이었다면? 이를테면, 돈세탁 담당이라든지.
김준	(굳어지는 눈빛)
수호	(미소) 우리 의원님 표정 관리 연습 좀 더 하셔야겠네. 다 티 나요. 긴장하신 거.

| 김준 | (웃음기 싹 거두고) 강 기자는 무서운 게 없나 봅니다? |
| 수호 | 의원님처럼 가진 게 많은 사람이나 무섭지 저처럼 더는 잃을 게 없는 사람은 겁날 게 없습니다. 두고 보시죠. 당신은 덮고 싶겠지만 내 아내를 위해서라도 반드시 내가 바로 잡을 테니까! |

선전포고와 함께 수호 자리에서 일어나는 위로.

| 김준 | (시선은 수호에게) 야야, 손님 일나신다는데 빈손으로 보내야 쓰겠나. |

보좌관, 수호 앞으로 태블릿 내밀고.

김준	강 기자 오신다꼬 선물 좀 준비했십니다.
수호	(같잖고) 뭐 하는 겁니까.
김준	(눈빛) 보이소, 그날입니다.

'그날' 소리에 수호, 순간 움찔.
잠시 망설이다가 태블릿에 띄워진 영상을 보는데.

태블릿 영상
수현의 집 앞, 일상적인 거리 풍경.
평상시와 다를 바 없는 평범한 분위기… 그 순간.

갑자기 뭔가를 본 수호의 눈동자, 요동치고.
핏기 사라지며 점점 더 얼어붙는… 그러다 멘붕! 덮어 버리면.

| 김준 | (미소) 이래도 더는 잃을 게 없십니까? |

수호	(양 주먹 바들바들) 닥쳐….
김준	이걸 만약 은수현 씨가 보면 우찌될까요. 버텨 낼 수 있을까요.
수호	(순간 달려들며) 내 와이프 건드리지 마! (보좌관 막아서고)
김준	(전세 역전) 그럼, 당신 와이프 지키는 방법은 강 기자가 제일 잘 알겠네요?

수호, 입술이 파르르 떨린 채, 두 주먹을 꽈악 움켜쥐고.
김준, 묘한 미소로 수호를 서늘하게 눌러보는.

29씬　　**N, 수호의 서재**

유리창에 적힌 관계도(27씬)를 등진 채 앉아있는 수호.
여전히 양 주먹 꽉… 부들부들 떨며 천천히 시선 돌리는 그 끝에…
놓여 있는 서류 봉투 위에 올려진 비행기표 한 장.

수호, 액자 속 수현을 바라보는 절망스러운 눈빛에서. (F.O)

30씬　　**(F.I) D, 9번 방**

각자의 시간을 보내는 재소자들.
형자, 낡아 빠진 돋보기(여기저기 테이프로 칭칭 감은)를 쓰고,
낡은 일기장에 뭔가 끄적이다가 힐끗 돌아보는 곳에.

한 손에 깁스한 채로 묵묵히 걸레질하는 수현. 그때.

교도관	4811!
수현	(천천히 다가가면)

교도관	(쪽지 건네며 좀 안됐어서) 거 면회 한번 받아 줘라. 매번 참. (자리 뜨면)

수현, 한쪽에서 쪽지 펼쳐 읽는 위로.

수호 e	수현아. 나, 다시 JBS에 입사했어. 벌써 가을이다.
	다음 면회 때는 만나서 얘기할 수 있을까.

그때, 재소자2, 수현을 발로 툭 치며.

재소자 2	야, 뭐하냐, 걸레질하다 말고? 시방 한가하다?
재소자 1	(피식) 건드리지 말어, 쟤 독한 년이야~ 바늘이 손에다 구녕을 이라고 뚫어 쌌
	는디도 악 소리 한 번 안 한 년이잖어~
재소자 2	혹시 안 아픈 거 아냐?
형자	(낡은 일기장 탁 덮고) 시끄러! 생살이 찢겨 나가는데 너희 같음 안 아프겠어?
수현	(그저 묵묵히 걸레질하는 위로)
재소자 1	아, 성님도 봤잖아요, 피를 철철 흘리면서도 눈 하나 끔뻑 안 하는 거.
형자	자식 잃은 슬픔에 비하면 그 정돈 아무것도 아닌가 보지. (일어나고)

수현의 손에 들린 걸레 뺏어 들고 화장실로 가 대신 빨아 주는 걸,
수현, 처음으로 형자를 바라본다.

cut to   D, 다른 날, 화장실
머리 감는 수현. 한 손으로 하려니까 잘 안되는 그 순간,
불쑥 나타난 형자, "이렇게 해 봐."
"아니, 괜찮…"다고 말릴 새도 없이
"가만있어" 형자의 손에 잡힌 수현의 머리.

cut to   D, 강당 복도

수현, 물 꽉 채운 양동이를 한 손으로 힘겹게 들고 가는 그때,

형자, 이미 한 손에는 양동이가 들려 있음에도 수현 양동이 뺏어 들고 앞서

가는. 그런 형자의 뒷모습을 불편하게 바라보는 수현.

나한테 왜 저러는 걸까….

31씬　　**D, 야외 세탁 작업장**

수현, 푹 젖은 담요를 끙끙대며 너는 그때,

또 나타난 형자, 아무 말 없이 손을 보태 주고.

수현	(잠시… 그러다) 고맙습니다.
형자	(툭 던지듯) 고마울 거 없어. 그래 주고 싶어 그런 거니까.
수현	(그 소리에 또 잠시 형자를 보다가…) 저한테… 왜요.
형자	(움찔, 그러다 왠지 솔직해지고 싶고) 꼭 예전에 나 같아서.
수현	(보면)
형자	한때 나도 목숨이 붙어 있는 나 자신이 너무 끔찍해서… (깁스한 수현의 손을 턱 짓으로 가리키며) 나도 그런 적 있다고.
수현	…
형자	근데, 또 죽을힘 다해 살다 보니 아픈 과거에서 이만큼 멀어지더라….

형자, 머쓱한 듯 자리 뜨는 뒷모습을 가만히 바라보는 수현.

어쩐지 형자의 말이 가슴에 와 닿는….

32씬　　**D, 운동장**

삼삼오오 쉬는 재소자들 속, 수현, 두리번대는데,
저기 벤치에 앉은 형자가 보이고.

cut to D, 벤치

형자, 오늘도 낡은 일기장에 뭔가 적는 위로 드리워지는 그림자.
고개 드는데 쭈뼛대며 서 있는 수현.

형자	왜?
수현	그게…. (그러면서 깁스 푼 팔 보여 주면)

형자, 눈 커지더니 자기 일처럼 좋아하며 그 손 잡아 주고.

수현	(머쓱) 그리고 이거….

등 뒤에서 케이스 내밀면, 형자, 열어 보는데 새 돋보기안경이다.
형자, 잠시 고맙게 보다가… 쓰고 있던 낡은 돋보기 대신 쓰더니.

형자	어때, 쥐이지 않냐?

우스꽝스럽게 뽐내는 형자의 모습에…
수현, 건우 죽고 처음으로 어색하나마 미소라는 걸 지어 보는.

33씬 D, 시장

고은, 유리와 함께 장 보는 중이고.

고은이 나눠 들려 해도 유리, 괜찮다며 양손 가득 무거운 짐 다 들고.
그런 유리를 애틋하게 바라보는 그때, 걸어오던 명희와 딱 마주쳤고.

유리　　(흠칫) 안녕…하세요.

고은　　(그저 죄스러운 마음) 안녕하셨어요 사돈.

명희　　(그런 고은과 유리를 서늘하게 보다가…) 어떻게 안녕하겠어요, 내 아들이 혼자 저러고 있는데.

고은　　(차마…)

유리　　(고은이 무안하겠다 싶어서 얼른) 그러잖아도 수호 씨 반찬 좀 해다 주신다고 장 보러 나온 건데.

명희　　(유리 손에 들린 장바구니 눌러보며) 그러실 필요 없어요. (자신의 장바구니 들어 보이며) 요즘 반찬 가게가 얼마나 잘 돼 있는데.
　　　　뭣보다, (두 사람 눌러보며) 이제 수호도 집에 없을 거고.

유리　　(갸웃) 집에 없다니요? 수호 씨 어디 가요?

명희　　(고은 의식하며) 특파원으로 미국 가요.

고은　　(처음 듣는 얘기에 놀라고)

유리　　(놀라) 확실해요? 언제 가는데요? 그럼 언니는요?

명희　　(좀 어이없고) 그건 그쪽 사정이고. 남의 집 귀한 아들, 옥바라지하며 말라가는 걸 보는, 내가 상관할 일은 아닌 거 같은데요?

유리　　(허…!)

명희　　(고은을 서늘하게 눌러보며) 사돈 생각은 어떠세요? 수호가 사돈 아들이라면 출셋길, 막으시겠어요?

고은　　(아무 말 못 하는…)

명희　　그럼, 교수 딸을 키워 낸 교양 있는 분이시니 믿고 가겠습니다.

유리, 걱정스럽게 고은을 보면, 고은, 여전히 묵묵히 서 있는….

34씬　　　**D, 교도소 면회실**

수현, 나와 서는데, 기다리고 있던 고은과 유리.

유리　　　(반가움에) 언니…!

수현, 담담한 표정으로 *끄덕여* 주고는 고은을 보는데….

수현　　　엄마….

고은　　　(수현 손에 흉터를 아프게 보며) 몸은 좀 괜찮아?

수현　　　(손 얼른 숨기며 죄송한 마음) 으응….

　　　　　(얼른) 엄만? 어디 아픈 덴 없고? 무릎은 좀 어때요?

유리　　　(울컥) 언닌! 그렇게 엄마가 걱정되면서 어떻게 선처를 바라지 않는다는 소릴
　　　　　해! 빨리 나와도 시원찮을 판에!

수현　　　(죄스럽고) 미안해… 내 죗값, 다 받고 싶었어…. (고은을 죄송한 마음으로 보면)

고은　　　(누구보다 그 마음 알기에…)

유리　　　참, 언니 알고 있었어? 수호 씨, 특파원 제의받은 거?

수현　　　(몰랐던 터라 순간 멈칫… 그러다) … 잘됐네.

유리　　　(발끈) 뭐가 잘돼?! 언니 너 정말 그게 무슨 뜻인 줄 몰라?! 몇 년이 될지 모르
　　　　　는 시간 동안 두 사람 더 멀리 떨어져야 한다고. 연락도 잘 안되고 만나고 싶
　　　　　을 때 만나지도 못하고! 그렇게 눈에서 멀어지다 어쩌면 영영, (차마…)

수현　　　…

유리　　　(설득하며) 언니, 지금 수호 씨 면회 계속 거절할 때가 아냐. 여태껏 언니한테도
　　　　　말 안 한 거 보면 안 갈 생각인 거야. 그러니까 수호 씨 잡아. 응?

고은　　　(솔직히 유리 말처럼 그래 줬으면…)

수현　　　(갈등하는 눈빛)

35씬   (다른 날) D, 운동장

휴식을 취하는 재소자들 속에서 생각에 잠긴 수현.

그런 수현을 이만큼 떨어진 곳에서 형자가 걱정스레 지켜보는 그때,

수현, 드디어 생각을 끝낸 듯 자리에서 일어나고.

cut to   D, 디지털 공중전화기

수현, 잠시 흔들리는 눈빛. 이내 곧, 결심이 선 듯 번호를 누르더니.

수현   여보세요.

36씬   (다음 날) D, 교도소 민원 봉사실

수호, 접견 대기 의자에 초조하게 앉아 있는 그때.

안내 방송 e   (알림음, 딩동) 4811 수감자 접견자는 6호실로 입장해 주십시오.

수호, 반가움에 자리에서 벌떡 일어나고. 드디어!

37씬   D, 면회실

수호, 긴장된 채 앉아 있는 그때, 열리는 문 사이로 나오는 수현.

수호   (만감이 교차) 수현아…!
수현   (막상 수호를 보니 울컥)
수호   (울컥) 보고 싶었어….

수현	미안해… 당신 볼 자신이 없었어.
수호	이해해. 당신이 끝까지 안 나와도 계속 오려고 했어.
	언제까지고 기다리려고 했어. 그래도 네 전화 받고 진짜 꿈인지 생신지… (벅
	찬) 고맙다. 연락 줘서….
수현	방송 복귀한 거 축하해… 간절히 바란 일이잖아.
수호	(고개 숙여지는) 너… 위해서 뭐든 해 보려고 했는데 아무것도 못해서 미안해.
	그렇지만 열심히 일할게. 그래서 당신 나왔을 때 든든한 버팀목 돼 줄게.
수현	… 수호 씨.
수호	어!
수현	나, 부탁이 있어.
수호	(얼른) 어! 뭐든 말해. 내가 다 들어줄게!
수현	(잠시 수호를 바라보다가) 이제, 여기 오지 마.
수호	(순간 잘못 들었나…) 어?
수현	우리가 보는 건 오늘이 마지막이야. 이 얘긴, 얼굴 보고 하는 게 맞다 싶어
	서… 그래서 오라 한 거야.
수호	(아직 사태 파악이 안 되고) 그게… 무슨 소리야…?
수현	당신한텐 정말 미안하게 생각해. 근데 당신 보는 거 나 좀 힘들어.
	당신 마음까지 헤아릴 여유가 없어.
수호	(O.L) 헤아리지 마. 그냥 이렇게 옆에만 있으면 돼.
	(달래며) 수현아, 우리 마음 단단히 먹고 조금만 견디자.
	이 고비만 잘 넘기면 다시 시작할 수 있어.
수현	(순간 차갑게) 나 살인자야.
수호	(!)
수현	날 좀 봐. 내가 어딨는지, 뭘 입고 있는지.
	살인자 꼬리표 단 나랑 당신이 뭘 할 수 있는데?
	이제 좀, 꿈에서 깰 때도 되지 않았어?

수호	(차가운 수현의 태도에) 수현아…?
수현	(단호) 부탁이야. 나 좀 내버려 두고 당신은 당신대로 살아.
	각자 갈 길 가자.
수호	(순간 울컥) 내가 널 두고 어딜 가! 너 왜 이렇게 변했어?
수현	(서늘) 사람은 변해. 나도. 당신도…
	(수호 똑바로 쳐다보며) 이제 내 인생에, 당신 자리는 없어.
수호	(그제야 심장이 쿵… 서서히 떨려 오는…) … 진심이야?
	진짜 네 인생에 나 없어도 돼?
수현	(단호) 응.
수호	(!)
수현	(담담하게 일어나며) 그럼 가.
수호	(어금니 꽉, 같이 벌떡 일어나며) 나, 특파원 갈지도 몰라!
수현	…
수호	가면! 안 돌아올 수도 있어. 나, 안 붙잡아…?
수현	(냉정하게 교도관에게) 그만하겠습니다. (들어가는 뒷모습에)
수호	너…! 정말 후회 안 해?!

수현 뒤로 쾅 닫히는 문.
수호, 충격!

38씬	D, 긴 복도

교도관을 따라 걸어오는 표정 없는 수현.

39씬	N, 거리 외경

크리스마스 분위기의 풍경.

40씬   **N, 술집**

테이블 위에는 2~3병의 빈 소주병과 다 식은 우동이 놓여 있고.
삼삼오오, 즐거운 사람들 사이에 섬처럼 홀로 떠 있는 수호.

수현 e   이제 내 인생에 당신 자리는 없어.

꽉 쥔 수호의 손에 껴 있는 결혼반지를 바라보는데…
그제야… 무너지는 수호.

41씬   **N, 9번 방**

잠든 재소자들 속, 작게 들리는 신음에 형자, 흠칫. 잠에서 깨고.
구석에 웅크리고 누운 수현이 숨죽인 채 끅끅…
가만히 그 곁에 앉는 형자… 그러다 그저 말없이 등을 쓸어 내려 주는.

수현   (끅끅…)

형자   참지 마라… 속병 될라….

계속 쓰다듬어 주는 형자의 손길에… 그제야…
목구멍까지 차올랐던 슬픔이 수현의 얼굴을 타고 흘러내리는…
사랑하는 남편까지 보내야만 하는 이 가혹한 현실 속에서…
그렇게 한참을… 숨죽여 흐느끼는….

(F.O)

42씬	(F.I) D, 교도소 외경 (계절의 변화)

43씬	D, 교도소 입구 (봄)

이송 버스에 오르는 재소자들.

수현과 형자도 다른 모범수들과 함께 한 줄로 서서 차에 오르고.

44씬	D, 교도소 외부 작업장 (ex. 자동차 분해 공장)

작업복의 수현, 리프트로 띄운 자동차 아래서 조립을 분해하고.

형자도 거들며 타이어도 빼고.

(디졸브)

이송 버스로 다시 복귀하는 재소자들.

돌아가는 그 길에 잠시 또 쓸쓸해지는 수현의 마음…

그때, 머리 위로 사르륵 눈처럼 내리는 벚꽃잎들.

올려다보는 수현의 아련한 눈동자.

보면, 형자가 수현의 머리 위로 날려 주고. 잠시나마 기분 좋으라고…

그 마음 알기에 형자의 머리칼에 꽃잎 떼어 주며 미소 지어 보는 수현.

45씬	D, 강당 (여름)

<재소자를 위한 사랑의 콘서트>

무대 위, 가수와 함께 재소자들, 박수 치며 따라 부르고.

그 속에 수현과 형자도 있고.

가수	(막 노래 끝내고) 혹시 한 곡 불러 주실 분!

그때, 형자, 무대 위로 오르고.
'오오~!' 박수 치는 재소자들과 함께 수현이도 형자를 바라보는데….

형자의 <이젠 그랬으면 좋겠네…>

나직이 진심을 담아 노래 부르는 형자.

형자	소중한 건 옆에 있다고… 먼 길 떠나려는 사람에게 말했으면…

마치 수현에게 해주는 말인 듯… 수현의 먹먹한 눈동자… 그 위로.

cut to N, 공항
출국하는 수호, 쓸쓸하게 뒤돌아보다가 떠나는….

46씬   **D, 작업장 (가을)**
빨갛게 노을 진 하늘 위로 날아가는 철새 떼를…
나란히 일하던 수현과 형자, 펼쳐진 장관을 함께 바라보다가…
형자, 가만히 손 내밀면… 그 손 따스하게 잡아 주는 수현.

47씬   **D, 9번 방 (그리고 겨울)**
'철커덩' 문 열리는 소리와 함께.

교도관	0826! 나와요.
형자	(갸웃) 저요?

형자, 수현과 눈 마주치고는 영문 모른 채 어깨 으쓱하며 나가고.
수현, '무슨 일이지?'

48씬   D. 운동장 (눈 쌓인)

말없이 눈 위에 뭔가 그리는 형자 옆에서…
수현, 아침에 불려 나갔던 형자가 계속 신경 쓰여 눈치만 보다가….

수현	(슬쩍) 뭐 그려요?
형자	(낮은 미소) 여기서 나가면 제일 먼저 가고 싶은 곳.
수현	(?)
형자	남쪽 끝에… 앞에는 바다가, 뒤로는 억새가 펼쳐진 곳에 이런 언덕이 있대. 가도 가도 회색 벽은 볼 수 없는 곳.
수현	(물끄러미)
형자	(그림 속 언덕 위 나무를 가리키며) 그 꼭대기에 아주 오래된 나무가 있는데, 거기다 손을 대고 빌면 소원이 이루어진대. 넌 거기 가면 무슨 소원 빌고 싶어?
수현	(가만히 생각하다가 그저 낮은 미소만… 그러다) 언니는요…?
형자	나는… 나 땜에 힘든 사람이 부디 행복하게 해 달라고 빌고 싶어….
수현	(잠시 바라보다가…) 우리, 나중에 꼭 여기 같이 가요.
형자	(그 소리에 수현을 바라보고…)
수현	왜… 그렇게 봐요…?
형자	(그제야 천천히 입을 떼며) 나… 죽는대.
수현	(순간 잘못 들었나?)

형자	아침에 그것 땜에 불렀더라고. 저번에 했던 건강 검진 결과가 많이 안 좋다나 봐.
수현	(충격)
형자	(수현 표정 보며) 그럴 거 없어. 이렇게 가는 게 내 죗값의 일부라고 항상 생각해서 그런가? 난 정말 아무렇지도 않다. 근데… (애틋) 이렇게 얘기하는 건 너 때문이야. 네가 또 아무 준비도 못 한 채로 이별을 맞이하게 하고 싶진 않아서.
수현	(허…!)
형자	이만큼 살고 보니, 잘 만나는 거만큼이나 잘 헤어지는 것도 중요하더라. 그러니까 우리, 잘 이별하자. 그리고… 나… 사실 너한테 고백할 게 있어.

서서히 품 안에서 낡은 일기장 꺼내 건네면,
수현, 떨리는 손으로 받아 펼치는데 찢어진 신문 기사가 들어 있는.

<4명이 숨진 양평 펜션 방화 화재 현장에서 유일한 생존자 나와>
헤드라인 아래 화재로 인해 아수라장이 된 펜션 사진과 기사[2]

수현	(놀라 형자를 쳐다보면)
형자	실은… 나도 너처럼 복수를 꿈꿨었다.

2 　　　　양평 펜션 방화 사건 피해자 유족들이 22일 기자 회견을 열어 참담한 사고 후의 고통을 호소했다. 가해자인 A 씨는 남편의 외도 사실을 알게 된 후 남편과 내연녀가 함께 여행 중이었던 펜션에 불을 질렀다고 진술한 것으로 알려졌다. 불은 옆방까지 번지며 목조 건물이 전소된 후에야 꺼졌다. 이 사고로 A 씨의 남편인 B 씨를 비롯해 옆방에 투숙하던 일가족 등 총 5명의 사상자가 발생했다. 유일한 생존자인 8세 C 군은 현장에서 구조돼 병원에서 치료 중이며 생명에는 지장이 없는 것으로 전해졌다. 가해자 A 씨는 지난해 10월 4일 대법원에서 20년을 선고하며 현재 복역 중인 것으로 알려졌다.

49씬	(인서트) N, 펜션

펜션 창 너머 남녀의 키스하는 그림자 앞에 젊은 형자, 얼어붙고.

형자 e   남편한테 딴 여자가 있다는 걸 알고,

벌벌 떠는 형자, 사그라든 화목난로 안의 잔불을 집어 드는 위로.

형자 e   그것들을 죽이고 싶어서 그 방에다 불을 질렀어.

cut to   N, 화염에 휩싸인 아수라장이 된 펜션

형자, 눈앞의 광경에 털썩 주저앉으며 경악하는 눈빛 위로.

형자 e   그치만, 그렇게 큰불로 번질 줄은…
정신을 차리고 보니 나 땜에 무고한 일가족이 죽었어….

현재

형자   (수현을 바라보며) 유일하게 살아남은 한 아이만 빼고.

수현, 그제야 헤드라인 속 '유일한 생존자'에 시선.

형자   매일 같이 하늘에 기도했다.
제발… 그 애가 잘 버티고 살아갈 수 있도록 지켜 달라고…
그렇게만 해 주면 내 모든 걸 다 바치겠다고….

수현   (본다…)

형자	(낡은 일기장 보며) 그러다, 그 아이한테 편지를 쓰기 시작했어.
	감히 미안하다는 말조차 입 밖으로 낼 수 없을 만큼 죄스러워서 이렇게라도
	빌고 또 빌었어.

수현, 이제야 이 일기장이 누구를 위한 것인지 알겠고….

형자	수현아. 나, 부탁이 있어. 나 대신, 그 아이에게 이것 좀 전해 줄래?
수현	(!)
형자	너만큼이나 힘든 시간을 버텨 왔을 그 아이도… 아픔과 잘 이별할 수 있도록
	네가 좀… (울컥) 도와줄래…?

수현, 아프게 형자를 바라보다가, 천천히 끄덕끄덕.
형자의 마지막 부탁을 들어주기로…
형자, 진심으로 고마워서 수현의 손을 더 꼭 잡아 주고.

(시간 경과)

빠르게 흘러가는 구름… 데이 나잇 바뀌며.

50씬   N, 9번 방

형자, 식은땀 흘리며 고통스러워하면서도 수현이 준 돋보기안경을 쓰고 수현 옷에 달랑거리는 단추를 달아 주다가…
웅크리고 잠든 수현을 어쩌면 이게 마지막인 듯… 바라보고….

(디졸브) 아침

기상 송과 함께 일어나는 재소자들.

수현이도 이불을 개며 형자를 흔들며 깨우는데…

더는 일어나지 않는 형자. 손에는 수현이 준 안경을 꼭 거머쥔 채…

수현, 직감적으로 이별의 순간이 왔음을…

떨리는 손으로 형자의 얼굴을 어루만지는…

그 뒤로 재소자들, 난리가 났고.

"아이고 성님! 왜 이래요?!" "교도관님!!"

멀리서 달려오는 교도관들의 쿵쿵 발소리.

그 속에서 그저 가슴 깊이… 꼬옥 안아 주는 수현의 얼굴 위로.

파노라마

그동안 형자와 함께했던 순간순간들, 스치듯 지나가며….

| 51씬 | D, 운동장 |

교도소 담장 위, 쌓여 있던 눈이 햇살에 반짝거리며 녹아내리고.

벤치에 홀로 앉은 수현, 손에 든 낡은 일기장을 보는데….

형자 e 수현아. 나 대신 그 아이에게 이것 좀 해 줄래? 너만큼이나 힘든 시간을 버텨 왔을 이 아이도 아픔과 잘 이별할 수 있도록 네가 좀… 도와줄래…?

가만히 일기장 커버 펼치면, 사이에 껴 있는 통장.

수현, 통장을 꺼내 본다.

그 아이에게 주려고 평생을 모은 형자의 마음…

수현, 가만히 일기장을 가슴에 갖다 대고…

그렇게 또다시 사랑하는 이를 떠나보내는…
슬프지만 그래도 전보다는 조금은 단단해진 수현의 눈빛.

52씬　　**D, 작업장**

빛이 반사되며 전구가 반짝반짝.
재소자들이 만든 조악한 크리스마스트리가 앞에 놓여 있고.
수현, 손이 시린 듯 '호…' 입을 불며 일하는 그때.

교도관　　5분 안에 정리하고 사동으로 이동합니다!

53씬　　**D, 강당 복도**

수현, 포함 7명 정도 재소자들 따라 이동하는 그때,
어디선가 들리는 노랫소리. [angel's song]

합창 소리 e　　거룩한 밤 별빛이 찬란한데 거룩하신 우리 주 나셨네

순간, 음악에 홀린 듯 넋 나간 채 그쪽으로 향하는 수현의 모습에,
교도관, "거기!" 저지하려다,
저기 강당 문 앞에 멈춰 서는 수현을 잠시 그대로 내버려 두고….

54씬　　**D, 강당**

합창 소리 e　　오랫동안 죄악에 얽매어서 헤매던 죄인 위해 오셨네 우리를 위해 속죄하시

려는 영광의 아침 동이 터온다

열린 문 사이로 새어 나오는 빛이 수현의 얼굴을 비추고.
지휘하는 남자의 손 너머,
단상 위, 15명의 어린이 합창대열로 서서 노래 부르고 있다.
지휘에 맞춰 합창하는 아이들을 바라보는데….

cut to   수현과 건우가 함께 불렀던 바로 노래. (1씬)
수현, 그렁그렁한 채로 바라보다가….

수현   (목까지 차오르는 그리움으로) 경…배하라… 천사…의… 기쁜
          소리… 오 거룩한… 밤… 구.주.가. 나신 밤…

          수현, '건우야… 건우야…' 그 이름을 부르는 대신
          그리움 가득 담아 따라 불러 보는….

e   뚜벅뚜벅 걸어오는 발소리.

55씬   D, 가석방 심사실
          수현, 천천히 들어와 가운데 앉으면,
          그 앞에 가석방 심사위원들의 종이 넘기는 소리만이…
          수현의 가석방을 평가하는 심사표를 서로 보다가.

위원1   4811은 제한 사범이네요.
위원2   (종이 넘겨보며) 수용동 청소, 사동 도우미 같은 관용 작업도 꾸준히 하고 있고,

공장 작업도 성실히 나갔어요.

위원1   잔형도 적고… 이 정도 모범수면 사회 복귀하는 데는 문제없겠어요.

위원들, 수현의 심사표를 보며 서로 끄덕거리고.

위원1   (수현에게) 4811, 4년 동안 지내는 데 힘든 점은 없었나요?

수현   네.

위원2   추징금까지 완납하셨는데 범죄 피해자 지원센터 기부도 했네요?
          어떤 마음이 들었죠?

수현   제 죗값에 대한 마땅히 해야 할 일이라 생각했습니다.

위원2   인성 교육 우수 표창도 받고… 흠잡을 게 없네요.

위원1   (같이 끄덕여 주고는) 그럼 4811이 석방돼야 하는 이유가 뭐라고 생각합니까?

수현   …

위원1   4811?

수현   저는.

위원들, 일제히 시선 집중하는데.

수현   저는 아직 석방되면 안 된다고 생각합니다.

위원들   (술렁)

수현   그러니, 남은 형기도 단 하루도 빠짐없이 여기서 저의 죗값을 치르며 살겠습니다.

위원1   (뜻밖이라) 가석방을 원치 않는다는 소리예요?

수현   (본다) … 네.

위원들 잠시 서로 바라보다가 수현의 심사표 위로 도장 '쾅!'

<불가 판정> (F.O)

자막   3년 후.

56씬   **(F.I) 해 질 녘, 폐차장 외경**
어디선가 들리는 자동차 해체 소리.

기름때가 덕지덕지한 작업복을 입고 마스크를 쓴 남자,
자동차 해체 작업 중이고.
녹슨 차량의 라이트를 뜯어내고, 쓸 만한 배터리를 분류하고 전동 드라이버
로 타이어를 분해해 옆에 굴려 놓고.

리프트로 들어 올린 차에서 쏟아지는 기름.
스패너로 부품을 해체하던 남자의 눈꺼풀 위로 튀고.

그제야 마스크 벗고 목에 두른 수건으로 대충 기름을 닦아 내는 남자.
드러나는 얼굴, 선율이다.
노을을 보며 군용 수통에 담긴 물을 마시는 눈동자.

cut to   N, 폐차장 사무실
새어 나오는 희미한 불빛.

cut to   사무실 안
선율, 에어팟 낀 채 조미김에 밥 한 덩이를 기계적으로 우겨 넣으며 종이 넘
겨보는데, 낡은 지샥 시계에서 울리는 알람.

확인하는 눈빛.

이내 곧, 페트병(생수) 벌컥벌컥, 테이블에 '탁!' 내려놓고는.

cut to 도로

어디론가 향하는 선율의 오토바이.

57씬   **N, 만찬실 (빠르게 교차)**

김준을 중심으로 이진권, 손현민, 최주석 등 경선 후보자들과 함께 만찬 중
인. 여유로운 표정의 김준과는 달리 후보들 가지각색 표정.

카메라 뒤로 빠지면.

58씬   **N, 어둑한 상황실 (빠르게 교차되며)**

이들의 얼굴 고스란히 대형 화면에 비추며,

화면, 이진권 사진 / 학폭 자료들 & 녹취 내용 문서 크게 떠 있고.

'○○리서치' 한국연합당 대선 부호 선호도 조사 이름 옆으로 00% 등이 보
이는.

상석에 앉아 눌러보는 김준의 눈빛.

비서관   (보고하며) 이진권은 딸이 문제입니다. 이 의원 딸한테 학폭 당했다는 피해자
들 녹취를 우리 팀 막내가 따와서 적절하게 써먹을 수 있을 것 같습니다. 요
즘 같은 시기 학폭이면 지지율 10프로는 바로 하락입니다.

김준   (비릿한 미소) 이 의원, 훌륭한 농사꾼이라더니 자식 농사도 잘~ 지었네. 딸내미
가 보물덩어리였구마. (그 위로)

cut to   N, 어느 학교 앞 멈추어 서는 선율의 오토바이

(교차) 상황실 / 화면에 손현민 사진으로 교체되며.

김준   문제는 쟈가 아이다. 손현민이지.
비서관   워낙 강력한 후보라 애들이 계속 파 보는데 뒤를 얼마나 잘 밀었는지 먼지
          한 톨 안 나온다고 합니다.
김준   (예리한 눈빛) 손현민 글마 상경학원 이사장 아이가? 그 마누라 거 교장 자리
          차고 앉았다카든데… 얼마나 좋노? 돈세탁하기?

화면 속, 손현민 초중고 재단 라인과 함께 마크. (c.u)

cut to   N, 그 마크가 새겨진 상경예고 앞

cut to   1층 도서관 쪽
마지막 불빛이 꺼지자 건물은 어둠에 잠기고.
운동장 사이로 모자 눌러쓴 그림자, 1층 창문들을 훑고 다니다 밀리는 창문.
서슴없이 그 안으로 순식간에 들어가는. 선율이다.

비서관 e   안 그래도 지금 막내가 작업 중입니다.

cut to   교장실
'드르륵' 문 닫고 저벅저벅 창가로 향하는 선율.
묶여 있던 커튼 촤르륵 펼쳐 창문 가리고.
플래시로 둘러보는데 교장실에 그득 쌓인 미술품들 카메라에 담고.
벽 그림 떼어 내면 그 뒤에 보이는 작은 금고.

INS   *복도에 야간 경비 2명의 인기척. 말소리. 점점 교장실 쪽으로.*

선율, 열린 금고 안, 수첩에 일목요연하게 정리된 내용들.
ㅁㅁ작가 7억, ㅇㅇ화백 연화도 11억, ㅁㅁ작가 9억 ㅇㅇ화백 화조도 17억.
ㅇㅇ화백 맹호도 22억 등. / 선율이 찍은 작품들과 교차.

선율, 황급히 수첩을 가슴에 챙겨 드는 그 순간!
불 탁 켜지며, "누구야?!"
텅 빈 교장실. 창문이 조금 열린 채, 바람에 펄럭하는 커튼.

59씬   **N, 다리 아래 (국회 의사당 보이는)**

선율, 비서관에게 수첩 건네고.

비서관   (돈 봉투 내밀고) 수고했어. 내일부턴 최 의원 마크해.

말없이 받아들고 선율, 오토바이 타고 멀어지는…. (F.O)

e   철커덩 소리.

60씬   **(F.I) D, 교도소 앞**

파란 하늘 아래, 열리는 교도소 문.
드디어… 출소하는 수현, 역시나 희망 없는 눈빛으로 둘러보는데…
저기서 걸어오는 수호의 실루엣.
점점 더 다가올수록 떨리는 수현의 눈동자.

순간, 수현 곁을 스쳐 뒤에 출소자를 와락 안는 남자 1.

수호가 아니었다.

기대한 적도 없었으면서… 그렇게 한 발 한 발 내딛는 수현…

그 모습을 어디선가 지켜보는 서늘한 시선.

61씬　　**D, 국도**

쭉 뻗은 도로 위를 오토바이 한 대가 굉음을 내며 시원하게 달리는.

천천히 클로즈업하면, 헬멧 쓴 '선율'의 눈동자.

그 위로 울리는 전화.

비서관 e　　최 의원 떴어!

선율　　　　(무심히) 오늘은 안 돼요.

비서관 e　　(다급) 지금 아니면,

툭 끊어 버리는 선율. 그렇게 달려가는.

62씬　　**D, 버스 터미널, 매표소 앞**

수현, 꽃다발을 들고 둘러보는데 창구는 닫혀 있고.

마침 키오스크에서 빠르게 표를 사는 사람들.

수현이도 일단 줄 서는데… 드디어 자신의 차례.

표를 사긴 사야겠는데 이 처음 보는 낯선 기계 앞에서 자꾸만 헤매고.

뒤에 서 있던 누군가 "빨리 좀 합시다!"

그 짜증 섞인 재촉에 서두르며 가방에서 지갑 꺼내다가 그만, 놓치며 와르르

쏟아지는 동전들.

더욱 커지는 짜증들. "하! 진짜, 바빠 죽겠는데."
주눅 든 수현, "죄송합니다…"
엎드려 주워 담는데, 서두르니까 이것도 잘 안되고.

63씬　　　**D, 버스 터미널, 고속버스 안**

창가 좌석에 털썩 앉는 수현.
'이제야 살았다…' 토해 내는 작은 한숨.
저 앞, 승객들 대부분 운전기사에게 모바일 티켓을 보여 주며 타고.
이 생경한 풍경에 이제야 자신이 얼마나 오랜 시간 단절되어 살았다는 게 느껴지는…
천천히 무릎 위에 꽃다발을 바라본다…
'우리 건우도… 날 참 오래 기다렸겠구나…'

cut to　　D, 도로
저 멀리 보이는 산등성이 사이로 쭉 펼쳐진 도로 위를 달리는 버스.
차창 너머 멍하니 하늘을 바라보던 수현.
그 옆으로 달려오는 오토바이. 선율, 정면만 응시한 채…
잠시, 그렇게 나란히 달리는 두 사람.
속도를 내서 앞질러 나아가는 선율.

64씬　　　**D, 건우의 묘원**

수현, 가쁜 숨을 몰아쉬며 계속 올라가는데 얼마나 올랐을까.
드디어… 멈춰 서는 수현 앞에…
'강.건.우'라고 새겨진 아이용 예쁜 비석…

그리고 건우의 작은 묘⋯ 꽃다발을 내려놓고는⋯.

수현   건우야⋯.

사진 속 환하게 웃고 있는 건우.

수현   (건우처럼 환하게 짓는 슬픈 미소) 엄마 왔어⋯.

떨리는 손으로 여기저기 만져 보는 아들의 묘.
얼굴도 갖다 대 보고⋯ 냄새도 맡아 보고⋯ 품에도 안아 보고⋯
얼마나 간절하도록 이렇게라도 안아 보고 싶었던 나의 아들⋯.

65씬   **D, 무덤 앞**
선율도 털썩 기대앉고. 말없이 무덤가에 소주 뿌려 주고.
무심한 선율의 눈동자 위로 들리는 목소리.

은민 e   (간절한) 선율아, 약속해 줘⋯ 엄마가 부탁할게.

선율, 목에 걸린 목걸이(사진 들어갈 사이즈)를 소중하게 거머쥐는.

66씬   **늦은 오후, 건우의 묘 앞**
수현, 귀에 이어폰 꽂은 채 건우의 묘를 꼭 안고 있는⋯ 그때,
수현의 얼굴 위로도 떨어지기 시작하는 빗방울.
수현, 눈 감은 채로 그저 내리는 비를 맞는데⋯

눈물인지 빗물인지 모를… 수현의 눈에서 조용히 흘러내리는….

그때였다.
더 이상 수현의 얼굴로 떨어지지 않는 빗방울…
하지만 점점 더 거세지는 빗소리.
그제야 뭔가 좀 이상해서 천천히 눈을 떠 보는데,
거세게 떨어지는 빗줄기가 투명 우산에 막혀 튕겨 나가고 있는….

수현　　(뭐지…?)

천천히 시선 돌리는데,
바로 그 우산을 받치고 서 있는 얼굴. 조금씩 나타나고. 선율이다!

수현, 놀라 몸 일으키다가 이어폰 빠지면서 새어 나오는 음악.

M　　What a wonderful world

선율　　괜찮아요?
수현　　(그제야 자리에서 일어나고)
선율　　(수현의 텅 빈 손을 보며, 우산 건네주고) 쓰세요.

수현, 대답 대신 그저 건우의 묘를 바라본다… '또 올게…'
이내 곧, 선율을 지나쳐 가는…
선율, 퍼붓는 빗속으로 묵묵히 걸어가는 수현의 뒷모습을 보다가…
서서히 건우의 사진을 바라보고.

67씬   **늦은 오후, 건우의 묘원 산길**

비를 맞으며 내려오는 수현.

그때, 선율, 달려와 앞을 가로막더니.

선율   쓰고 가요. (우산 내밀면)

수현   (감정 없이) 괜찮아요. (지나치는데)

선율   아이가 보면 마음 아플 거 같아서.

그 소리에 그제야 제대로 선율을 올려다보는 수현의 눈동자.

그런 수현을 바라보는 선율의 눈동자.

그렇게 드디어 마주하는 두 사람 모습에서 블랙아웃.

2화 엔딩

지금 나하테
무슨 짓을
한 줄 알아?

1씬	**늦은 오후, 건우의 묘 앞**

수현, 귀에 이어폰 꽂은 채 건우의 묘를 꼭 안고 있는… 그때,

수현의 얼굴 위로도 떨어지기 시작하는 빗방울.

수현, 눈 감은 채로 그저 내리는 비를 맞는데…

눈물인지 빗물인지 모를… 수현의 눈에서 조용히 흘러내리는….

그때였다.

더 이상 수현의 얼굴로 떨어지지 않는 빗방울…

하지만 점점 더 거세지는 빗소리.

그제야 뭔가 좀 이상해서 천천히 눈을 떠 보는데,

거세게 떨어지는 빗줄기가 투명 우산에 막혀 튕겨 나가고 있는….

수현　　(뭐지…?)

천천히 시선 돌리는데,

바로 그 우산을 받치고 서 있는 얼굴. 조금씩 나타나고. 선율이다!

수현, 놀라 몸 일으키다가 이어폰 빠지면서 새어나오는 음악.

M	What a wonderful world

선율	괜찮아요?
수현	(그제야 자리에서 일어나고)
선율	(수현의 텅 빈 손을 보며, 우산 건네주고) 쓰세요.

수현, 대답 대신 그저 건우의 묘를 바라본다… '또 올게…'
이내 곧, 선율을 지나쳐 가는…
선율, 퍼붓는 빗속으로 묵묵히 걸어가는 수현의 뒷모습을 보다가…
서서히 건우의 사진을 바라보고.

2씬	**늦은 오후, 건우의 묘원 산길**

비를 맞으며 내려오는 수현.
그때, 선율, 달려와 앞을 가로막더니.

선율	쓰고 가요. (우산 내밀면)
수현	(감정 없이) 괜찮아요. (지나치는데)
선율	아이가 보면 마음 아플 거 같아서.

그 소리에 그제야 제대로 선율을 올려다보는 수현의 눈동자.

(이어서) 얼른 우산 쥐여 주는 선율.
저기, 부르기도 전에 이미 빗속을 뚫고 멀어지고.

잠시 그대로 투명 우산을 올려다보는 수현.

고작 이 작은 우산 아래 있다고, 거친 풍파에 내던져졌던 마음이 조금은 덜 춥다.

그러다 뭔가를 발견하는 수현의 눈빛.

우산 손잡이에 건우가 그토록 좋아했던… '별' 스티커.

다시금 선율이 사라진 쪽을 이끌리듯 바라보는….

타이틀 〈원더풀 월드〉

3씬	**N, 고은의 집, 대문 앞**

처마 밑으로 '뚝뚝' 떨어지는 빗방울.

고은, 이제 오나 저제 오나 기다리는 위로.

수현 e　　나오지 마세요. 혼자 조용히 건우한테 가고 싶어요.

그때, 저 멀리서 걸어오는… 꿈에서도 보고 싶었던 내 딸….

고은　　(쿵…!)

드디어 수현, 그 앞에 멈추어 서고….

수현　　엄마….

고은　　(목이 메 아무 말도 할 수 없는…)

수현　　내가… 너무 늦었지….

고은, 그제야 천천히 떨리는 손으로 만져 보는

수현의 얼굴, 수현의 머리, 수현의 손.

수현이도, 고은의 얼굴을, 하얗게 센 머리를, 늙은 손을… 그러다,

누가 먼저랄 것도 없이… 서로를 끌어안고….

고은　　이제 됐다… 내 새끼… 왔으니 됐어….

그렇게 한참을 서로의 품에 안겨 숨죽이는… 두 사람.

4씬　　**N, 고은의 집 안방**

다 쓴 염색약과 신문지 한쪽에 치워져 있고.

수현, 고은의 젖은 머리를 말려 주는데.

고은　　(보는 것만으로도 안쓰러워서) 내가 한대도. 너 팔 아파.

수현　　다 했어요. (드라이 끄고 고은의 염색 머리를 보면서) 어디.

　　　　이제야 울 엄마 같네.

고은, 애틋하게 수현을 바라보다가 천천히 수현의 손등으로 시선.

수현, 머쓱해지며 가리고.

고은　　정말… 이제 괜찮은 거야?

수현　　(짐짓) 그럼 언제 적 일인데. 흉도 거의 없어요.

고은　　(마음 아프고) 네 마음 말이야.

수현　　(본다…)

고은　　(손 잡아 주며) 수현아. 절대로 나쁜 생각해서는 안 돼?

비록, 자식 빈자리는 아무도 못 채운다지만, 엄마도 있고 유리도 있고 너 절대 혼자 아냐, 그러니까,

수현   (O.L) 엄마, 나 안 죽어. 이제 이 세상에 나밖에 없는 엄말 두고 어떻게 죽어.

고은   (울컥)

수현   그리고… 건우한테도 부끄럽지 않게 살겠다고 약속하고 왔어.
그 약속 지키려면 어떻게든 살아 내려고.

처연하면서도 결연한 눈빛의 수현.

수현   나… 그럴 거예요.

고은, 불쌍하고 애처로워서 수현의 눈물을 닦아 주고 또 닦아 주고.
그렇게 서로를 피멍 든 가슴으로 애처롭게 매만지는 두 사람.

수현 e   엄마가 있어서… 다행이야….

두 사람, 조용히 맺혀 흐르는 눈물….

M   경쾌한 음악

5씬   (F.I) D, 스튜디오

M   경쾌한 음악

하얀 장갑을 낀 스태프들, 고급 벨벳 케이스 열면 눈부신 주얼리들.

모델들과 함께 시작되는 주얼리 화보 촬영.
화려한 조명, 현란한 플래시 세례. 그때.

e   잠시만요!

음악 뚝 끊기고.
사진작가와 스태프들 모두 돌아보면, 모니터 앞에서 몸 일으키는 사람,
예전의 모습을 찾아볼 수 없는, 화려해진 유리다.
또각또각.
빨간 힐을 내디디며 메인모델 앞으로 다가오더니,
순간, 모델의 보트넥 숄더를 확 내려 오프 숄더로 만들고.
그 바람에 옷 위에 있던 다이아가 맨살에서 반짝이는.

유리   (돌아보며) 어때요? 브릴리언트 컷팅이 훨씬 돋보이지 않아요?
사진작가   (앵글 확인하더니) 어! 훨 좋다!
유리   (조명팀 향해) 조명도 좀 바꿔 주세요.
조명팀   왜요? 지금도 괜찮은 거 같은데?
유리   (모델 2가 착용한 팔찌를 들어 보이며) 쎄듀 컬렉션이잖아요.
           화이트골드가 로즈골드처럼 보이면 되겠어요?
사진작가   (애정 섞인 핀잔) 하여간 깐깐해, (조명 팀에게) 콘트라스트 살리고 화이트밸런스
           컨트롤해 줘요~!

조명 빛깔 바뀌고.
다시 커지는 음악 소리와 함께 재개되는 주얼리 촬영.
'컷! 오케이! 컷!' 외쳐 대는 사진작가의 우렁찬 목소리를 들으며,
우아한 카리스마로 바라보는 유리의 눈빛.

6씬	D, 뮤즈 인 청담

유리, 막 통화하면서 들어서고.

직원들, 하던 일 멈추고 깍듯하게 90도로 인사하는.

유리   (통화 중) 네, 본부장님, (인사하는 직원 1의 삐뚤어진 명찰 툭 치면, 직원 1 얼른 명찰 똑바로

하고, 계속 걸어가며) 그럼요, 오픈 일정에 맞춰 브로슈어 나올 거예요. 네~ (끊는

데)

직원 2   (얼른) 대표님. 손님 오셨는데요?

'손님?' 가리키는 곳을 보는데,

투명 유리창 너머 쏟아지는 빛을 받으며 돌아보는… 수현이다.

유리   (순간, 명해지는…) 언니…?!

점점 북받치는 감정으로 달려가 수현을 와락 끌어안고.

수현도 그런 유리를 꼭 안아 주고…

드디어 제자리로 돌아왔다는 안도와 함께 밀려오는 깊은 슬픔….

cut to   D, 동, 뮤즈 인 청담 대표실

수현, 진열된 액자를 훑어보는데.

필라테스로 몸매를 드러내며 뽐내는 유리의 보디 프로필.

파티에서 셀럽들과 샴페인 잔 들며 환하게 웃는 유리의 얼굴.

유리   (차 내오며) 우리 숍 론칭 때.

수현   우리 유리, 안 본 사이 근사해졌네?

유리	언니가 몰라 그렇지, 나도 꾸미면 장난 아냐. (앞에 차 내려놓고)
수현	(따스하게 바라보다가…) 고맙다… 나 대신 울 엄마 옆에 있어 줘서….
유리	(발끈) 뭐래? 하루아침에 고아 된 나를 엄마랑 언니가 어떻게 챙겼는데. 나 그 거 갚으려면 아직 멀었어, 그리고, 울 엄마야, 피 섞였다고 유세 떨 생각 마?
수현	(찡해 오는…) 너 이렇게 잘 된 거 보니까 너무 좋다….
유리	(짠해 오는…) 이제 언니도 새 출발 하는 거야. 응?

'글쎄… 이미 닫혀 버린 내 인생에… 어울리지 않는 말…'
그저 먹먹한 마음으로 쓸쓸하게 웃는 수현… 그 모습을….

7씬 **D, 몽타주 〈시간의 흐름 속〉**

cut to   D, 시장
수현과 고은, 같이 장도 보고, 국밥집에서 국밥도 먹고.
그렇게 일상을 살아 내는 모습들.
돌아오는 길, 저 앞 유치원 버스에서 내리는 병아리 같은 아이들.
둘 다 내색하지 않고 지나치지만… 가슴 저리는….

cut to   D, 경찰서
수현, 형사에게 '형자의 방화사건 기사 스크랩'을 내밀며,
"이 사건 생존자를 꼭 좀 찾고 싶은데요."
"이건 개인 정보라 알려 드릴 수가…"
절레절레 흔드는 형사의 말에 처음부터 부딪치는 벽.

cut to   새벽, 고은의 집, 마당
"다녀올게요." 나서는 수현 뒤로

"또 찾으러 가는 거야?" 걱정스레 바라보는 고은.

cut to D, 대형 음식점 앞
손님들로 가득 찬 음식점 앞에 망연자실 서 있는 수현.
손에 들린 신문 기사 속 '펜션'(2화)은 온데간데없고.
앞으로 흐르는 개천만이 그곳임을 알려 주는.

cut to D, 펜션 동네
사람들에게 저기 펜션 자리를 가리키며 묻는 수현.
유심히 신문 기사를 들여다보지만 다들 고개 젓는 사람들.
포기하지 않고 계속 찾아다니는 수현.

cut to D, 피해자 지원센터
수현, 들어가서 기사를 보여 주며 문의하는 모습.

직원 너무 오래전 일이라 다른 기록은 없는데 그때 담당했던 심리 상담사 기록이
있네요.

수현 (!)

8씬 **D, 한국대학교 정문 앞**
플래카드, <창조적 혁신으로 미래를 선도하는 한국대학교>

올려다보는 수현.

cut to D, 교내 캠퍼스

삼삼오오 전공 책을 들고 지나가는 해맑은 학생들.
버스킹 하는 밴드부와 손뼉 치는 학생들.

절대로 이곳엔 다시 발을 들여놓을 수 없을 줄 알았건만…
한때 몸담았던 이곳을 들어서는 수현… 그때.

학생들   교수님!

돌아보면.

(과거) 수현을 둘러싸고 조르는 학생들.

학생 1   교수님! 저 수강 신청 광탈했어요! 저 좀 끼워 주심 안 돼요?!
학생 2   저도요!! 교수님 수업 듣고 싶단 말이에요!!

(현재) 그 학생들 옆을 묵묵히 지나쳐 걸어가는 수현.

cut to   강의실 앞 복도
수현, 둘러보며 걸어오는데 열린 강의실 문 사이로 보이는 강단.

(과거) 바로 그 강단에서 PPT를 띄워 놓고 열강 하던 수현.

(현재) 새록새록 떠오르는 옛 생각에 수현, 잠시 문 열고 들어서는데.

(과거) 수현 위로 '펑!' 터지는 폭죽.
어디선가 나타난 아이들이 수현 앞에 케이크 내밀고.

'은수현 교수님, 감사합니다. 5월 15일'

화이트보드에도 가득한 글들.
*교수님 평생 잊지 못할 수업이었어요. ㅠㅠ
*저 사실 출튀 특기인데 교수님 수업은 진짜 한 번도 안 했어요. 찐!
*자존감이 바닥에 떨어져 있을 때 교수님을 만난 건 제 인생에 행운.
*다른 팀플은 싫은데 교수님 수업 팀플은 사랑입니다♡
*교수님, 농담 아니고 저 F 주세요. 다시 듣고 싶은 수업 ㅠㅠ
*정작 돌보지 못한 제 상처를 교수님께 치유 받은 기분입니다ㅠㅠ
*우주미녀 은수현 교수님! 사랑합니다!!!!

(현재) 그날의 감정이 떠오르는 듯한 수현의 눈동자.

9씬   **D, 김시라 교수실**

수현, 김시라 교수와 마주 앉았고.

시라   네, 기억나요, 처음 상담할 때부터 과하게 경계했던 아이였어요. 불 공포증이
        있었어요. 결국 본인이 거부해서 치료가 중단됐지만요.

수현   혹시, 연락처 알 수 있을까요?

시라   저도 연락 끊긴지 10년이 넘어서… 그치만 그때 상담 기록이 어딘가에 있을
        거예요, 한번 찾아볼게요.

수현   정말 고맙습니다.

시라   저… (수현을 알아보고) 맞으시죠?

수현   (난감한 눈빛에…)

시라   (수현에 대한 팬심으로) 제가 꼭 도와드릴게요.

수현, 고마운 눈빛.

cut to   복도
수현, 걸어 나오는데, 휴대폰 울리고.

수현   어, 유리야.

10씬   **N, 실내 포장마차**
유리, 새 신발이 들어 있는 박스를 수현 앞으로 내밀며.

유리   출장 갔다가 언니한테 잘 어울릴 거 같아서. (같은 신발을 신고 있는 자기 발을 내보
           이며 해맑게) 우리 이제 커플이다? 아, 뭐해, 신어 봐, 얼른.

수현   (유리 하자는 대로…)

유리   우리, 이거 신고 이제 좋은 데만 다니자? 내가 그렇게 해 줄게. 나 그러려고
           진짜 미친 듯이 일해서 여기까지 올라온 거야.

수현   (먹먹해지는…) 고맙다.

유리   (수현의 손을 잡아 주며) 언니. 기억 나? 내 인생에 어떻게 언니 같은 사람을 만난
           건지 모르겠다고 한 말. 나… 그거 진심이야.

수현   (덕분에 조금은 마음이 따뜻해지고…)

           서로의 술잔을 채워 주는 두 사람.

유리   참, 그 찾는다는 사람은?

수현   아직.

유리   근데 왜 그렇게 그 사람 찾는 거에 집착해?

수현	(그를 생각하며…) 그 사람을 만나서 전할 말이 있어.
유리	전할 말?
수현	(대답 대신 담담한 미소만… 말 돌리며) 미국 출장은 어땠어?
유리	(에휴…) 죽어라 일만 하다 왔지, (순간 머뭇) 아, 저기.
수현	(응?)
유리	(선뜻 입이 안 떨어지지만) 수호 씨 곧 한국 들어오나 봐. (조심스레…) 연락… 안 해 볼 거야?

수현, 굳어지는 눈빛.

11씬　　N, 밤거리

수현, 군중 속 외로움을 느끼며 걷고 또 걷고…
그 쓸쓸한 눈동자 위로.

12씬　　(회상) D, 교도소 면회실

유리, 이혼 서류를 받아 들고서 놀라 보면.

수현	수호 씨한테 전해 줘.
유리	언니!
수현	(흔들림 없는 눈빛)
유리	(어깃장 나서) 그래. 네 맘대로 해라. 엄마가 걱정하든! 내가 속상하든 수호 씨가 괴롭든!! 아~무 상관 말고 언니 맘대로 하라고!
수현	(그 말이 아프고) 내가 어떻게 내 맘대로 해.
유리	(순간 울컥하는 눈빛 위로)

수현	나도 그 사람 보내기 싫어. 짐이 되더라도 옆에 있고 싶어.
	근데… 어떻게 그래.
	(울컥) 내가 가장, 사랑하는 사람이잖아….

현재

정처 없이 걷던 수현, 순간 멈칫.

자신도 모르게 발길이 이끈 곳, 또 예전 살던 동네, 나의 집. 순간.

(환상/환청) 폴리스라인, 경찰과 기자들, 몰려든 동네 사람들,

사이렌 소리, 형광등.

수현, 식은땀 나며 심장이 터질 것만… 황급히 발길을 돌리는 그때.

e	엄마~

돌아보는 수현의 흔들리는 눈동자 위로.

(과거) 수현과 수호, 건우 손을 잡고 행복하게 저 대문으로 들어가는.

순간, 동요하는 수현, 어쩌면 오늘이 이곳에 오는 마지막일지도.

13씬	**N, 수현의 집, 정원**

그렇게 이끌리듯 안으로 들어서는 수현.

작은 텃밭에는 '건우네 농장' 푯말이 흙투성이가 된 채 아무렇게나 쓰러져

있고, 식물들도 다 말라비틀어진.

한쪽에는 페인트가 벗겨져 바래 버린 행복이의 집.
그 옆으로는 작은 행복이 무덤…
'행복아, 하늘나라에선 아프지 마.'

사랑이 가득했던 모든 곳이 폐허가 된 듯한…
붉어진 눈동자로 현관을 쳐다보는 수현.

14씬 **N, 수현의 집, 거실**

천천히 들어서는 수현. 그때.

M   I'll survive

저기 미러볼로 반짝이는 거실 중앙,
쫙 차려입은 수현이 수호와 건우의 열띤 함성에 힘입어.

수현   (음악에 맞춰 립싱크) at first I was afraid, I was petrified

수호와 건우, '꺄악!' 환호와 휘파람, 박수를 보내고.
현재 수현의 모습과는 180도 다른, 한때는 이토록 밝았던…
이내 곧, 사라지는 환영들… 남은 건,
소파, 가구, 가족사진 모두 흰 천을 덮어 둔… 텅 빈 공간….

그때, 수현의 팔을 툭 치고 신나게 방으로 달려가는… 건우다.

| 건우 | (팬티 바람으로) 싫어~ 바지 안 입을 거양~~~ |

15씬 **N, 건우의 방**

건우를 쫓아 들어오는 수현의 눈앞에.

| 건우 | (침대 위에서 폴짝폴짝 뛰며) 엄마 이거 봐라~ 나 이만큼 올라간다~ |
| 수현 | (이대로 놓치기 싫어 건우를 붙잡으며) 건우야. (순간) |

또 연기처럼 흩어지는 건우… 텅 빈 침대…
허망한 수현의 눈동자.

열리는 장롱 안.
걸려 있는 건우의 노란색 유치원 원복.
수현, 얼굴을 갖다 대고 숨 깊게 들이마셔 본다.
혹시라도 건우의 냄새가 남아 있을까….

열리는 서랍 안.
가지런히 개어 둔 건우의 속옷들과 내복들.
그 옆에 작은 상자 꺼내 열어 보는데,
건우의 배냇저고리와 오래오래 살라고 함께 넣어 둔 명주실…
그리고 예쁜 투명 통에 들어 있는 건우의 치아.

그 작은 '이'라도 움켜쥐고서 가슴에 대 보는데…
그제야 더는… 견딜 수 없어…
방 안 가득, 애끓는 수현의 숨죽인 울음소리만이….

(시간 경과)

얼마나 지났을까…

아침 햇살에 찡그리며 눈을 뜨는 수현.

정신을 차리고 보니, 어젯밤 바닥에서 울다 그대로 잠든…

손바닥에는 건우의 작은 '이'를 꽉 움켜쥔 채로….

16씬　**D, 수현의 집, 대문 앞**

수현, 나와 서며 마지막으로 한 번 더 돌아보고…

그렇게 대문을 닫는데, 쾅. '띠리릭' 그 순간.

플래시백　"건우야!" 달려가는 수현 뒤로 '쾅!' 띠리릭. (2화 24씬)

'왜, 마치 그날도 이 소리를 들은 것만 같지…?'

서서히 뒤돌아 멍하니 대문을 바라보는 그때, 울리는 휴대폰.

수현　여보세요.

시라 e　찾았어요!

수현　(?!)

cut to　시라의 교수실 (통화 중)

시라, 캐비넷에서 찾은 상담지들 노란 봉투에 넣으며.

시라　부탁하셨던 피해자 상담 일지들 함께 동봉해서 퀵으로 보내 드릴게요.

17씬　　**D, 선율의 동네**

경사길을 올라가는 수현의 손에 들린 노란 봉투.

한 손에 쥔 피해자 신상 기록지에는

이름 권선율 나이 스물 여덟 그리고 주소.

수현　　(이름을 보며 읊조리는) 권선율….

18씬　　**D, 2층 빌라**

8가구가 사는 낡은 빌라. 1층에는 카페 앞에 멈추어 선 수현.

cut to　카페 안

수현　　안녕하세요, 혹시 여기가 이 주소 맞나요?

주인　　(확인하더니) 아, 네. 2층 총각네 집이네~

수현　　(찾았다!) 감사합니다.

주인　　(다시 일하며) 가 봤자 없어요, 일할 시간인데 직장에 있겠지.

수현　　(아…)

주인　　(힐끔) 급한 거믄 어딨는지 알려 줘요?

수현　　(눈 커지고) 아세요?

19씬　　**D, 도로**

오토바이 타고 저 앞에 세단을 미행하는 선율.

선율의 귀에서 들리는 목소리.

| e | 떴어. 수행원도 놔두고 직접 운전해 가는 중. |

20씬   **N, 비밀스러운 독채 풀 빌라**

진입하는 세단 들어가는 뒤로 굳게 닫히는 문.
멀찍이 오토바이 세우고 나무 사이로 몸을 숨긴 모자 쓴 선율.
조리개 조절해 줌인 하면,
최준석 의원과 여자들, 마약 파티가 벌어지고.
선율, 바쁘게 계속 셔터를 누르는 그 순간.

경호원   (덩치 큰) 너 뭐야! (무전 치고)

선율, 황급히 도망치려는데 그 앞을 가로막는 더 나타난 경호원들.
선율의 카메라를 뺏기 위해 무차별 폭행을 가하고.
선율, 카메라를 지키기 위해 방어하고.
한 명을 제압하고 저 아래로 점프하며 착지.
놓쳐서 분개하는 경호원들,
그대로 출발하는 오토바이.

21씬   **N, 폐차장 인근**

수현, 물어 물어 선율의 일하는 곳을 찾아 가는 길이고.
그 옆으로 쓱 지나가는 오토바이.

22씬   **N, 폐차장**

야간 작업 위해 켜 놓은 불.
수현, 조심스럽게 들어오면서 전화를 거는데,
어디선가 들리는 벨소리.

소리 나는 쪽으로 걸어오는 수현,
저만치 불빛 아래, 한 남자가 너덜너덜 찢겨진 옷을 입고 생수병으로 피를
닦아 내고 있는.

수현　　저기…?

무심히 돌아보는 얼굴, 선율이다.

수현　　(저 얼굴 낯이 익고… 그제야) 어? 우산….

선율 역시, 갑자기 눈앞에 나타나 있는 수현의 존재에 잠시 놀란 채….

선율　　여긴 어떻게. (순간)
용구　　(폐차장 동료, 퇴근하며) 권선율! 간다~!
수현　　(흠칫) 권선율?

'그러니까, 너…라고?' 놀라는 수현.

cut to　폐차장 사무실
선율, 허기진 채로 라면을 후루룩 후루룩 먹고 있는 옆에서,
수현, 손에 믹스커피 들린 종이컵 든 채로.

수현	(그 모습이 좀 안됐고…) 매일 이렇게 저녁이 늦어요?
선율	(건성으로) 네.

수현, 여기 저기 상처 난 선율을 좀 짠한 마음으로 바라보는데….

선율	근데 궁금하네요. 날 왜 만나러 왔는지.
수현	(막상 입이 안 떨어지지만) 실은, 누가 대신 만나 달라고 부탁했어요.

그 소리에 선율, 수현을 쳐다보면,
수현, 너무 어렵지만 그제야 용기 내어 내미는 낡은 일기장.

선율	뭐예요, 이게?
수현	(차마…)

선율, 일단은 받아들고 무심히 펼쳐보는데,

<4명이 숨진 ** 펜션 방화 화재 현장에서 유일한 생존자 나와>

처음으로 선율의 눈동자, 미세하게 떨리고.

수현	그 사람… 오랜 시간 사죄하는 마음으로 그쪽한테 편지를 썼어요.
선율	(서늘) 그러니까, 내 부모 죽인 인간의 사과문을 전해 주러 온 겁니까.
수현	(어렵지만… 그렇다는 눈빛)
선율	그쪽이 왜 전해 주는데?
수현	직접 줄 수가 없게 됐어요.
선율	(…)

수현	죽었어요.
선율	(…)
수현	죽는 그 순간까지… 미안해했어요. 그쪽이 잘 살길 진심으로. (순간)

'탁!' 일기장 거칠게 덮어 버리는 선율.

선율	(실소) 그래서? 나, 어때 보여요? 잘 사는 거 같아요?

수현, 빛이라고는 없는 선율의 얼굴을 본다. 마치 내 모습인 듯….

선율	(꾹 누르며) 사과한다고, 죽은 사람이 살아 돌아오나? 아님, 마음의 짐이라도 덜어 보려고?
수현	(진심으로) 알아요, 지금 그쪽 심정이 어떤지.
선율	(O.L 치밀어 오르는) 죽을 때까지 이 사람 모르고 살고 싶었어. 미워하는 것조차 고통스러워서.
수현	(그 말의 무게가 너무나 느껴져서 가슴 아픈…)
선율	(수현을 증오심 담아 쳐다보며) 지금 나한테 무슨 짓 한 줄 알아?
수현	(너에게 하고 싶었던 그 어떤 말도 차마… 삼키는…)

선율, 확 박차고 자리 뜨는… 멀어지는 오토바이 소리.
먹먹한 심정으로 그대로 앉아 있는 수현의 눈동자.

23씬   **N, 고은의 집, 작은 방**
스르륵 주저앉는 수현, 잠시 형자의 일기장 속 기사를 꺼내 멍하니…
그러다 휴대폰으로 오래된 기사 하나를 찾아내고.

헤드라인 <** 펜션 방화 생존자 A군 왼쪽 어깨에 3도 화상 입어>

'왼쪽 어깨에 3도에 해당하는 심한 화상을 입어 영구적 흉터와 함께 장애가 예상된다는 (중략)'

얼굴에 모자이크된 어린 A 군. 탈의한 상체에 달린 전극 패치들.
보기만 해도 아픔이 전해져서 안쓰럽다….

선율 e   죽을 때까지 이 사람 모르고 살고 싶었어. 미워하는 것조차 고통스러워서.

수현, 가만히 어린 선율의 어깨에 손을 갖다 대고 어루만지는…
이날의 고통을 이 작은 어깨에 새긴 채 사느라 얼마나 무거웠을까….
(F.O)

24씬   **(F.I) 몽타주, 선율의 집 앞**
날들이 바뀌며 선율의 모습들 컷컷 되며,
지쳐 퇴근하는 선율, 또 아침 일찍 출근하는 선율.
그 모습을 수현, 차마 다가가지 못한 채 그저 먼발치에서 보기만….

cut to   N, 다른 날, 선율의 대문 앞
기다려도 오지 않는 선율.
수현, 발길을 돌리는데.

cut to   N, 선율의 동네
웅성대며 모여 있는 사람들.

갓길에 선율의 오토바이 쓰러져 있고, 그 앞에 축구공 놓여 있는.

(아마 공을 피하려다가 쓰러진 듯)

수현도 뭔가 싶어 보는데,

저 아래 개천 수풀가에서 무언가를 찾는 선율의 모습.

사람들, "왜 저래?" "목걸이 찾는대."

선율, 아무리 찾아도 목걸이가 안 보이자, 개천으로 들어가는,

"거기 위험해요!" 출동한 경찰, 선율에게 소리치고.

선율, 들리지 않는 듯 계속 찾자, "다친다고요!" 끌어내는 순간.

선율   (거칠게 뿌리치며) 우리 엄마 사진이 있다고!

선율의 외침에 경찰, 말문 막히고.

선율, 다시 정신없이 헤집으며 목걸이를 찾고…

그러다 낙심한 듯 멈추는 선율의 모습을… 바라보는 수현의 눈동자.

cut to   선율의 집 앞

선율, 고개 숙인 채 걸어 나오는 그때.

수현   저….

고개 드는데, 수현이다….

순간 선율, 확 표정 구겨지는 것도 잠시, 수현의 꼴이 말이 아니다.

수현의 신발이며 바지며 손이며 진흙으로 엉망이 된….

수현   이거.

그 더러워진 손으로 선율의 목걸이(2화)를 건네고…

선율, 좀 놀라는… 수현을 바라보다가…

내민 목걸이를 받아들고는 잠시 주춤… 돌아서는데.

수현   저도… 비슷한 아픔이 있어요.

선율   (움찔)

수현   자식을, 잃었어요.

선율   (흔들리는 눈동자)

수현   제 아이를 그렇게 만든 사람한테 저는… 사과 받고 싶었어요.

플래시백   (1화 46씬)

수현   사과해, 내 새끼의 인생을 송두리째 망쳤으면, 똑바로 사과하라고!

지웅   (밀치며) 에이 쌍! 진짜! 뒈져도 왜 하필 내 차에 뒈져 가지고!

수현   적어도 그랬다면… 용서까지는 아니어도 잊어는 보려고 했는데….

플래시백

수현을 보며 해맑게 웃던 건우. (1화 17씬)

지웅에게 돌진하는 수현의 절규하는 눈동자. (1화 47씬)

수현   난 아직도 치유되지 않는 고통 속에서 매일매일 부서져 가요.
        그래서 그쪽을 찾았어요.

선율   (…)

수현   나처럼 고통 속에 갇혀 있지 않길 바라는 마음에서… 진심 어린 사과를 받고
        그쪽은 꼭 살아가길 바라는 마음에서요.

근데, 내가 잘못 생각했어요.

선율   (그제야 수현 쪽으로 시선…)

수현   당신은… 당신 방법으로 삶을 견뎌 내며 살아가고 있었는데…
묻어 놓은 아픔을 내가 건드려서 흙탕물을 만들었네요…
(담담하게 전하는 진심) 정말, 미안합니다.

그 진심에 조금은 흔들리는 선율의 눈동자….

25씬   **N, 선율의 원룸, 창가**
커튼을 젖히는 선율.

수현 e   저도 비슷한 아픔이 있어요. 자식을… 잃었어요….

저기 내려가는 수현을 바라보는 선율의 눈동자. (F.O)

26씬   **(F.I) D, JBS, 방송국 전경**

아나운서 e   대한언론인회에서 주최하는 올해의 언론인 대상!

27씬   **D, JBS, 넓은 홀**

아나운서   강!수!호! 기자.

단상에 올라 상을 받는 수호 위로 쏟아지는 힘찬 박수.

28씬　　**D, JBS, 홀 앞, 탁 트인 긴 복도**

트로피 든 수호를 향해 꽃다발 건네는 기자들.

수호, 후배가 잡아 놓은 엘리베이터에 오르고.

내부가 보이는 투명 엘리베이터.

29씬　　**D, 국장실**

들어서는 수호 앞으로 동양 난, 금전수, 축하 화분이 줄지어 있고.

'축하드립니다. 서 진 호 대표'

'승진을 축하드립니다. JBS 직원 일동'

'祝 就任(축 취임) 진 호 연 사장'

'就任(취임)을 祝賀(축하)합니다. 고 선 정 이사' 등

어쩐지… 오히려 공허한 기분.

수호, 눈으로 쭉 훑어보는 끝에 유난히 큰 '동양 난'

'영전을 축하드립니다. 더 높은 곳으로 오르길 바랍니다. 한국연합당 대표 김준'

천천히 책상으로 다가가 명패 <국장 강수호>를 바라보다가,

버튼 누르면, 자동으로 열리는 블라인드.

밖으로 펼쳐진 건물들. 그중, 옥외 대형 전광판 속.

<정 대통령, 금일 김준 한국연합당 대표와 오찬 간담회>

화면 속 김준 얼굴. (c.u)

김준이 보낸 동양 난을 그대로 쓰레기통에 던져 버리고 나가는.

30씬　　**N, 수현의 동네 거리**

수현, 무심히 걸어오던 발걸음, 문득 제과점 앞에서 멈추어 서는데…
다양하게 진열된 케이크들.

플래시백　케이크에 초를 '후~' 불며 좋아하던 우리 건우….

그날 이후로는 살 수 없는 케이크…
잠시 그렇게 바라보다가… 다시 헛헛한 심정으로 발길을 돌리는….

31씬　　**N, 고은의 집 앞**

수현, 쓸쓸히 터벅터벅 걸어오는데 마침, 열리는 고은의 집 대문.

수현　　(이 시간에 어딜 가나 싶어) 엄마?

순간, 짐 가방 들고 나오는 사람, 다름 아닌 수호다.

수현　　(읊조리듯…) 꿈인가….

그런 수현 앞에 다가와 서는 수호.

수호	… 이제야 보는구나. 일단 필요한 짐만 어머니께서 챙겨 주셨어.
	(수현의 팔을 끌며) 타. (차 문 여는데)
수현	(그제야 수호의 손을 얼결에 뿌리치고) 뭐 하는 거야.
수호	(똑바로 눌러보며) 왜? 그럼 네 인생에서 나가라 했다고 내가 포기할 줄 알았어?
수현	당신은 내가, 끔찍하지도 않아?
수호	(본다)
수현	(애써 외면) 부탁할게. 당신 인생에 나만 없으면 돼.
	이제 그만, 나 좀 잊고 좋은 사람 만나.
수호	(어깃장 나서) 어! 나도 그러고 싶어, 그러려고 노력도 해 봤어!
	근데 안 되는 걸 어떡해!
수현	(흔들리는 눈동자)
수호	미안하다고 한마디만 하면 돼. 두 번 다시, 나… 밀어내지 않겠다고. 그럼…
	한 번은 봐줄게.

수현, 수호의 눈가에 맺히는 눈물에 가슴이 메고….

수현	(그럼에도 독하게 마음먹고) 왜 울어? 내가 대체 뭐라고 이래?
	당신 이럴수록 나 더 비참해, 그러니까 가, 가서 잘 살아, 그게 나 도와주는
	거야. (수호를 계속 밀치며) 제발 가! 내 인생에서 좀 사라져! (거칠게 짐 가방 빼앗아
	드는 순간)
수호	(와락 끌어안고)

수현, 아무리 벗어나려 할수록 더욱 꼭 안고.
그러다 가슴으로 느껴지는 수호의 흐느낌에 잦아드는 몸부림…
수호, 천천히 수현의 얼굴에 손….

수호	내가 널 어떻게 놓아⋯ 네가 나한테 어떤 존잰데⋯.

수현, 지금이라도 이 손을 뿌리쳐야 하는데⋯.

수호	(울컥) 보고 싶었다⋯.

그만, 버티고 있던 마음, '툭' 무너지고⋯
실은⋯ 너무나 간절하게 보고 싶었던 사람⋯
수현, 천천히 떨리는 손, 그토록 그립던 수호의 얼굴에 대 보는데.

그제야, 참았던 그리움 한꺼번에 터지듯 오열하며⋯ 와락!
다시 서로를 뜨겁게 끌어안는, 그 어느 때보다 애절한 두 사람⋯
결국 오랜 시간을 돌아 돌아 그렇게⋯.
(F.O)

32씬　　**(F.I) D, 고급 한식당 외경**

cut to　한식당 앞

수호의 차에서 함께 내리는 수현과 수호, 그때.

e	선생님!

수현에게로 한달음에 뛰어오는 태호.

수호	(태호 뒤통수 가볍게 툭 치며) 야, 넌 형수님한테.
태호	(너무 반가워서 그만) 아⋯ (울컥) 형수님!

수현	(태호 손잡아 주며) 잘 지냈어?
태호	네, 어디 아프신 덴 없으세요? 찾아가 보고 싶었는데…. (고개 떨구면)
수현	(그 마음 알고) 바쁜데 때마다 편지 보내 줘서 고마웠어.
수호	(몰랐었고) 그랬어?
태호	(머쓱)
수현	이제 3년 차겠다. 나한테 과외 받던 꼬마가 어느새 의사 선생님이 됐네?
태호	(쑥스럽고) 다 형수님 덕분이에요. (순간)
수호	(태호 배 툭 치며) 근데 너 이 꼴로 온 거야?
태호	어?

그제야 잘 차려입은 정장 아래 어울리지 않게 크록스.

태호	(얼굴 빨개지고) 의, 의국에서 급하게 나오다 보니.
수호	(헛웃음) 강태호답네, (수현과 태호에게 어깨동무하며) 들어가자.

33씬   **D, 고급 한식당, 룸**

한 상 차려진 테이블에 앉아 있는 수현과 수호.
조용한 가운데 '찰칵! 찰칵!' 휴대폰 셔터 효과음만.
태호, 연방 음식 사진들을 열심히 찍고 있고.

수호	(왜 저러나 싶어서) 음식 사진은 뭐 하러 맨날 찍냐.
태호	그런 게 있어. 형은 모르는 나만의 즐거움.
	오늘을 기록하는 작고 소중한 일기장 같은 거라고.
수호	(시계 보더니 안 되겠고) 야, 됐고 엄마한테 전화나 다시 해 봐.
태호	(찍는 데 집중하느라 그만 저도 모르게) 엄마 안 올 거 같던데.

일동	(쳐다보면)
태호	(아차) 아, 그게, 전화 목소리가 영···. (수현 눈치 보면)
수현	(이유를 알 거 같고···)
수호	(어차피 각오했던 일이라) 그럼, 그냥 우리끼리 먹자. (와 동시에)

벌컥 열리는 문과 함께 들어서는 명희.
일제히 일어나는 가운데, 수현이도 놀라 일어나면.

서늘하게 수현을 눌러보는 명희. (cut)
죄스러운 마음에 긴장되는 수현. (cut)
불안하게 두 사람을 번갈아 보는 수호. (cut)

수현	(고개 떨구며) 어···머니, 그동안 심려 끼쳐드려서 죄송. (동시에)

수현을 품에 당겨 안아 주는 명희.

당황스러운 수현과 놀라는 수호 & 태호.

명희	얼마나 힘들었니. 고생 많았다, 아가.

수현, 예상치 못했던 명희의 반응에 그저 놀란 채···.

(디졸브)

식사하는 가족들.
명희 앞으로 조심스레 반찬을 가져다주는 수현.

"네가 많이 먹어야지." 수현 밥 위에 반찬을 올려 주고.

이것저것 먹으라고 앞으로 당겨 주고.

수현, 이렇게 자신을 받아 주는 명희 모습에 조금씩 마음 따뜻해지고.

cut to   N, 고급 한식당 앞

계산하는 수호를 뒤로한 채,

수현, 문 앞에 꼿꼿하게 서 있는 명희 옆에 나란히 서며.

수현	(자신을 받아 주는 게 얼마나 힘든 결정인지 아니까…) 저희 정말 잘 살게요. 다시 받아 주셔서 감사합니다. 어머니.
명희	(따스하게 바라보며) 수현아.
수현	네.
명희	내가 널 받아 줬다고는 착각하지 마.
수현	네?
명희	(표정 서늘하게 바뀌며) 나는, 아직도 네가 끔찍해.
수현	(굳어지는…)
명희	그날, 네가 집으로 돌아오지만 않았더라면, 내 손주는 죽지 않았을 테니까. 건우가 죽은 건 너 때문이기도 해.
수현	(너무 아픈 말에 말문 막힌 채…)
명희	그런 네가 살인까지 저지르고 돌아와서 이젠 내 아들 발목까지 잡겠다니 얼마나 치 떨리게 싫겠니.
수현	(점점 더 굳어 가는…)
명희	근데 내 아들이 그러더구나. 너 아니면 죽겠대. 끝까지 반대하면 나하고 연 끊겠다더라. 그러니 어쩌겠어, 내가 져 주는 수밖에. 그러니까, (나직이, 힘주어) 우리 수호를 위해서라면 그 어떠한 것도 참고 견뎌. (경멸의 눈빛을 담아) 나도 너를, 견뎌 볼 테니. (순간)

수호	(계산을 마치고 나와 서며) 가시죠.
명희	(언제 그랬냐는 듯 다시 수현에게 다정하게) 가자.

수현, 심장이 조각나는 듯하지만 참아 내며 뒤따르는….

34씬　　**N, 돌담길**

꽃잎 날리는 아래…

수현, 나란히 발 맞춰 걷는 수호를 잠시 올려다본다…

자기 인생에서 내가 가장 중요하다는 이 남자를… 내가 뭐라고…

그런 수현의 시선을 수호도 느끼며 따스하게 바라보면서.

수호	고마워.
수현	뭐가….
수호	나… 다시 받아 줘서.
수현	(일렁이는…)
수호	(잠시 멈추어 서더니) 손 줘 봐.

수현의 손바닥에 올려놓는 작은 상자.

수현, 의아해서 열어 보는데, 시계다.

수현	(보면…)
수호	학교 등나무 아래서 했던 내 프러포즈 기억나?
	무슨 일이 있어도 함께하자 해 놓고서 너무 오랜 시간 떨어져 있었다… 그래
	서, 나 오늘 당신한테 다시 프러포즈하려고.

수호, 수현의 손목에 시계 채워 주고는.

수호   나를⋯ 다시 당신 옆자리에 앉혀 줘서 고마워,
우리 건우 아빠로 살게 해 줘서도 고마워.

수현   (먹먹해지고⋯)

수호   우리, 다시 같은 시간을 걷자.
이제부턴 너의 시간 속에 항상 내가 있을게.

수현, 꺼져 가던 잿더미 속에서 작은 불씨 다시 타오르려는⋯ 그렇게 서로
를 사랑을 담아 애절하게 바라보는 두 사람⋯
그 위로 눈처럼 내리는 꽃잎들⋯.

이만큼 떨어진 곳에서 그들을 지켜보는 불길한 시선.
운동화. (뉴발 530 특정 브랜드)

35씬   **N, 어두운 계단**

내려오는 발소리. 문 앞에 멈춰 서는 남자 운동화. (뉴발 530)
천천히 문 열면.

cut to   N, 암실

차가운 공기가 감도는 시멘트벽을 따라 건조대에 죽 걸린 사진들.
환하게 웃고 있는 수현과 수호, 건우.
비눗방울 사이로 장난치는 수현과 건우.
서로를 사랑스럽게 바라보는 수현과 수호.

그 끝에 다다른 벽 한 가운데 붙어 있는 수현의 사진.

그걸 중심으로 관계도.

가족(견우와 수호, 고은의 식당) 사진, 베프(유리) 사진.

시댁(명희, 태호) 사진, 이웃(혜금, 희재) 사진.

각종 수현의 이력(팬 사인회와 수상 사진, 대학 교수) 사진.

교도소 운동장에 죄수복 입은 수현과 형자의 사진.

교도소 문밖으로 걸어 나오는 수현의 사진. (2화 60씬)

수호의 뉴스 화면 캡처 사진.

앵글 계속 따라가 보면.

인화 용액 앞에 멈춰 선 운동화.

라텍스 장갑 낀 손으로 인화지를 용액에 담그고.

용액 안에서 서서히 윤곽을 드러나는 피사체.

봉투에 사진 한 장을 넣고 이름을 적어 내려가는데.

<받는 사람> 은   수   현.

cut to   N, 민혁의 낡은 아파트 앞

걸어 나오는 운동화(뉴발 530). 주머니에 봉투를 쑤셔 넣고 고개 드는데, 눈빛
이 매서운 민혁이다.

후드를 확 뒤집어쓰고 바라보는 눈빛에 차오르는 살기.

36씬   **N, 수현의 집 앞**

수현, 수호와 함께 들어가려는데 마침, 앞집에 멈춰 서는 세단.
혜금과 축구부 유니폼 입은 희재(15), 내려서다가.

혜금	(수현과 수호를 보고는 놀라) 어?
수호	(반갑고) 안녕하셨어요?
혜금	아, 네, 귀국하셨어요?

그러다 수현과 눈이 마주친 혜금. '그동안 얼마나 힘들었을까…'
애틋한 눈인사 건네면.

수현	(역시 눈인사… 그러다 시선 희재에게로) 너, 희재구나? 많이 컸네.
희재	(수현을 좀 경계하면서 혜금을 올려다보면)
혜금	희재야, 인사해야지. 건우 엄마시잖아.
희재	(경계하면서도 꾸벅) 안녕하세요.
수현	아줌마 기억 안 나? 우리 집 정원에서 많이 놀았는데.
희재	(주뼛대면서도) 네, 건우랑 축구한 거 생각나요.
수현	(희재를 보니 건우가 그립고…)
수호	(좋게) 그럼, 다음에 또 뵙겠습니다.

그렇게 들어가는 수현과 수호를 잠시 바라보는 혜금.

37씬   **N, 정원**

수현	(수호와 함께 들어서다가 멈칫) 희재 엄마가?
수호	응, 우연히 건우 묘원에서 마주친 적 있거든?

알고 보니까 때마다 건우 보러 갔었더라고. 어찌나 고맙던지.

'그렇구나….'
다시금 혜금 쪽을 고맙게 돌아보는 수현의 눈빛에서.

38씬 (다음 날) D, 방송국 인근 중식당 룸

사장과 유 PD 식사하며 뭔가 작당 모의 중인.
밖에서 "이 방입니다." 소리에,
두 사람, 눈빛 교환하고는 얼른 표정 관리.
안내 받으며 들어오는 수호를 보며 유 PD, 일어나고.

수호 좀 늦었습니다. 사장님.

사장 강 국장, 어서 와. 알지? 강 국장 출연할 공감 토크쇼 PD.

유 PD (악수 권하며) 잘 부탁드립니다.

수호 (악수하며 함께 앉는)

사장 이야~ 8시 뉴스 간판 되더니 특집 방송도 하고. 인기 많아서 시청률도 잘 나올 거야, (유 PD를 향해 눈짓하며) 그치?

유 PD (알아채고는) 그렇죠. (쓰윽 수호를 떠보며) 저, 국장님? 혹시 사모님하고 동반 출연은 어떠세요?

수호 (순간 굳어지며) 네?

사장 (얼른 부추기며) 어어~ 그래, 그거 괜찮겠다? (동시에)

수호 (부드럽고 단호하게 말 끊으며) 그건 좀 곤란한데요.

사장/유 PD (움찔)

수호 그 사람 불편하게 하고 싶지 않습니다.

유 PD 그래도.

수호	(좋게 일어나며) 바로 또 회의가 있어서 전 먼저 일어나겠습니다. (정중한 인사와 함께 나가면)
유 PD	(아휴!) 안 되겠는데요?
사장	(눈빛) 강수호 이제 JBS 간판이야. 그 살인자 와이프가 아킬레스건인지 치트키인지 확인해야 하지 않겠어?

39씬　　D, 야외, 브런치 카페

유리, 수현과 고은 앞에서 한껏 들떠서는.

유리	여기 좋지? 나 요즘 언니랑 엄마랑 다니려고 맛집 엄청 찾아보고 있어.
고은	(좋게) 넌 그런 델 남자 친구랑 가야지.
수현	그러게, 사귀는 사람 없어?
유리	(웃으며) 사귀고 싶어도 눈에 차는 남자가 있어야 말이지, 좀 괜찮다 싶으면 누가 다 채 갔고~
수현/고은	(웃음)

그때, 울리는 수현의 휴대폰.

수현	여보세요… 네? (바라보는 고은과 유리를 의식하며) 아… 네… 생각 좀 해 볼게요…. (끊는데)
고은	무슨 전화를 그렇게 불편하게 받아?
유리	뭘 생각하는데?
수현	(난감) 수호 씨… 이번 특집 방송하는데 담당 피디가 나더러 같이 좀 나와 줄 수 있냐고.
유리	(흠칫)

고은	(역시 좀 놀라서) 수호는 아무 말 없었고?
수현	네.
고은	(수현이 제일 걱정이라) 수호가 얘기 안 한 데는 다 이유가 있겠지.
	너 데리고 나갔다가 괜히 사람들 입방아에 다시 오르면 너만 상처 받을테니
	까… (조심스레) 엄마 생각도 그렇고.
유리	그건 나도 엄마 생각이랑 같아. 언닐 응원하는 사람도 있겠지만 무조건 욕하
	는 사람도 있을 거야. 언니가 다칠까 봐 걱정돼.

수현, 잠시 생각하는 눈빛.

40씬   **N, 수현의 집, 정원**

수호, 따뜻한 차 두 잔을 갖고 나와, 수현과 나란히 앉아서는…
밤공기를 곁들이며 마시는데 '흠…' 기분 좋은 수호.
그런 수호를 잠시 바라보다가….

수현	당신, 특집 방송에 나도 나와 달라는 얘기 왜 안 했어?
수호	(흠칫) 그거 어떻게 알았어? 설마 전화 왔었어?
수현	(그렇다는 눈빛에…)
수호	이 사람들이! (휴대폰 꺼내 드는 걸)
수현	(저지하고는…) 나, 나갈게.
수호	(단호) 됐어, 나 위해서 그러는 거 아는데, 신경 쓰지 마.
수현	당신 위해서 나 좀 그러면 안 돼?
수호	(흠칫)
수현	당신, 그 자리에 있으면서 나 땜에 불편한 상황들, 얼마나 감수하고 있는지
	알아. 근데 나는, 당신이 보호할 대상이 아니라, 당신 옆에 함께 걸어가는 사

람이 되고 싶어.

수호   (걱정이 앞서고) 그래도.

수현   이번 일이, 우리에게 그 계기가 될 수도 있잖아…?

이렇게 말해 주는 수현이가… 날 위해 어떤 결심을 한 건지 알기에…
더는 말릴 수 없는 수호….
그저 애틋하게 바라보는 두 사람 위로.

e   방청객들의 박수 소리.

41씬   D. 스튜디오, 무대 위
무대 중앙으로 향하는 수현과 수호에게 쏟아지는 방청객들의 박수.

MC   네! 오늘 '공감 토크쇼'에는 JBS 8시 뉴스의 새 얼굴! 강수호 앵커, 은수현 씨
       부부를 모셨습니다.

수호   안녕하십니까.

수현   (카메라 응시하며 긴장되지만 용기 내는) 네, 안녕하세요.

MC 자리로 안내하고, 두 사람 자리에 앉으면.

MC   우리 강수호 앵커님! 정말 뵙고 싶었습니다. 언론인 대상 받으신 거 정말 축
       하드립니다.

수호   (쑥스러운) 감사합니다.

수현   (떨리는 눈빛)

(시간 경과)

MC　　　네, 오늘 이렇게 두 분 모셔서 얘기 나누고 있는데요, (조심스레…) 오랜 시간이
　　　　지났지만, 여전히 많이 힘드시죠… 어떻게, 잘 이겨 내고 계신지….

수호　　글쎄요… 자식을 잃은 슬픔은 이겨 낼 수 있는 게 아니더라고요.
　　　　저희는 매일 아프고… 여전히 힘듭니다.

수현　　(먹먹해지는…)

MC　　　(조심스럽고) 은수현 씨께서도 방송 나오기까지 쉽지 않으셨을 텐데… 한 말씀
　　　　부탁…드려도 될까요?

잠시 침묵하던 수현, 천천히 입을 열고.

수현　　저를 보기 불편하실 수도 있다고 생각합니다.
　　　　하지만, 이 말은… 꼭 하고 싶었습니다….

경청하는 사람들….

수현　　저는, 제 목숨보다 더 소중한 한 아이의 엄마였습니다.
　　　　그리고 하루아침에 그 아이를 잃었습니다.
　　　　매일 그 사실을 받아들이려 애쓰지만 그러지 못할 때가 더 많아요.

수호　　(마음 아프고…)

수현　　그냥… 잠깐 소풍 간 거 같아요.
　　　　자식을 잃은 엄마는 시간이 얼마나 흘렀어도 여전히, (붉어 오는 눈가) 아프니
　　　　까요.

숨죽이고 듣고 있는 방청객 / 울컥하는 MC / 슬픈 수호의 눈동자 /

수현	하지만 이젠 전부 잊고 내려놓아야 할 때인 거 같습니다.
	제 고통 땜에 옆에 있는 이 사람도 가족도 못 지켰어요.
수호	(울컥)
수현	내 남은 가족을 지키기 위해서라도, 언제나 건우에게 부끄럽지 않은 엄마이
	자 어제보다 더 나은 아내가 되도록 노력하며 살겠습니다.

그 위로 흐르는 긴장된 음악과 함께.

cut to D, 방송국 복도 / 무대 위 / 수현의 대기실 (교차 편집)
운동화(뉴발 530), 편지 봉투 쥔 채 걸어오는. (cut) /
어디선가 스태프에게 편지 봉투를 건네는 운동화. (cut) /
대기실, 수현의 가방 위에 스태프이 올려놓는 편지 봉투. (cut) /

그 사이사이 방송하는 수현과 수호의 모습들 교차되며.

MC	마지막으로 시청자분들께 한 말씀 해 주세요. (cut) /
수호	힘든 시간을 함께 버텨 내며 더욱 단단해졌고 서로에 대한 마음도 더 (수현을
	바라보며) 굳건해질 겁니다. 같은 아픔을 겪고 계신 모든 어머님들, 아버님들.
	꼭 힘내십시오. (cut) /

서로의 손을 잡으며 뭉클하게 바라보는 둘. 쏟아지는 박수. (cut) /

컷 튀면.

스태프들, 조명 옮기고, 분주하게 방송 장비들 치우는 가운데,
수호, 방청객들에게 사인해 주고.

| 42씬 | **D, 대기실** |

수현, 들어와 앉는데, 긴장감 탁 풀리고…
그러다… 휴대폰 확인하는데, 부재중 전화.

| 수현 | (얼른 전화 걸고) 여보세요…? |
| 선율 e | (낮은) 권선율입니다. |

cut to   D, 청계천 분수대 같은 장소
즐거워 보이는 사람들.
멀찍이 벤치에 앉아 바라보며 전화하는 선율.

선율	저… 일기장이요.
수현	(듣고 있는…)
선율	용서까진 자신 없어요, 그렇지만… 읽어는 볼게요….
	문자 줘요.

cut to
끊긴 선율의 전화에… 수현, 먹먹해지는 마음….

[내일 솔강 요양센터, 2시에 봐요.]

수현, 문자 보내고는 휴대폰 가방에 넣으려는데,
그제야 가방 위에 놓인 봉투에 시선.

보내는 사람은 공란. 받는 사람은 '은 수 현'

'뭐지?' 좀 이상한 기분으로 열어 보면, 들어 있는 사진 한 장.

천천히 꺼내 드는데 조금씩 보이기 시작하는 사진 일부.

INS　　　　*N, 사진 (창밖에서 찍은 구도)*

침대가 보이는 방.

뒤로 벗어놓은 바닥의 옷들 사이로.

(계속 조금씩 올라가면서 교차)

남자의 다리선, 허리, 가슴, 목선, 턱밑을 따라 올라가고.

여자의 다리, 허리, 가슴, 목선, 턱밑,

그렇게… 드디어!

드러나는 사진 속, 남자의 얼굴.

어떤 여자(가려진)의 입술에 포개진 내 남편의 입술…

멍해지는 수현의 눈동자… 순간 귀에서 이명이 '삐____'

3화 엔딩

에필로그　　　**N, 암실 (36씬)**

계단으로 내려가는 뉴발 530 운동화를 따라,

수현의 사진들을 지나… 벽에 관계도를 지나…

수현의 숍 창가에 앉아 웃고 있는 유리와 수현의 사진(3화),

돌담길에서 서로를 애틋하게 보던 수호와 수현의 사진(3화)을 지나

드디어 구석에 놓여 있는 사진 액자 앞에서 STOP.

사진 속, 아빠(지웅) & 엄마(은민) 사이에 8살 남자아이.
서서히 클로즈업되는 아빠의 얼굴, 다름 아닌 지웅이다.

vs.

돌진하는 수현의 차 앞에 놀라 돌아보는 지웅의 얼굴.

분할되며.

대기실(43씬), 멍해지는 수현의 눈동자!

3화 엔딩

WONDERFUL WORLD

원더풀 월드

- 4화 -

아픈 거에
무너지지
마

1씬	**N, 도로, 수호의 차 안**

달리는 수호의 차.

수호	(운전하며) 오늘 방송하느라 많이 힘들었지?
수현	으응….
수호	(어째 수현이 좀 힘들어 보여서 힐끔) 당신 괜찮아…?
수현	어… 괜찮아….

생각이 많아지는 수현… 창밖으로 시선 돌리고….
그 위로.

2씬	**N, 수현의 집 외경**

e	샤워 소리.

3씬	N, 부부의 방

침대에 웅크리고 앉아 있는 수현.
천천히 가방 속에서 꺼내 드는 봉투.

회상   D, 대기실 (3화)

보내는 사람은 공란. 받는 사람은 '은 수 현'이라 적힌 그 봉투.
꺼내 든 사진을 멍하니 눌러보던 수현, 순간.

cut to   D, 대기실 앞

수현, 문 벌컥 열고 뛰어나오는데,
저 멀리 얼핏 코너를 돌며 사라지는 누군가.
'설마 저 사람?' 따라가 보지만 이미 보이지 않고.
손에 봉투를 바라보며 '도대체 누가 이걸…?!'

현재

아무런 동요도 일지 않는 수현의 눈빛으로 오버랩 되며,
이내 곧 문 열리는 소리에 담담하게 옷 주머니에 사진을 집어 넣는.
수호, 들어와 수현 옆에 앉고.

수호	(수현의 머리를 넘겨주며) 오늘 진짜 고생 많았어.
수현	(담담히 듣는…)
수호	(문득) 어? 당신 좀 열이 있는데? (얼른 수현 이마 짚어 보고)
수현	… 괜찮아.
수호	혹시 몸살 오는 거 아냐?
수현	(어떻게 말을 해야 하나… 그러다…) 수호 씨. (와 동시에)

'딩동' 초인종 소리에.

수호	(아차) 어머니 오셨나 보다. 어쩌지? 당신 컨디션 안 좋으면 담으로 미루고.

수호　(아차) 어머니 오셨나 보다. 어쩌지? 당신 컨디션 안 좋으면 담으로 미루고.

수현　(그런 수호의 모습에… 다잡으며) 아냐, 진짜 괜찮아, (얼른) 엄마 기다리겠다.

수호　(그렇다고 하니 일단은 하는 수 없고) 알았어. 그럼. (수현의 머릿결 한 번 더 쓰다듬고 이마
　　　에 따스하게 입맞춤 후 나가면)

수현… 다시금 마음이 좀 힘들다….

4씬　　**N, 수현의 집, 정원**

바비큐 파티가 한창이고.

수호, 고은과 수현 앞에 고기 담은 접시 내려놓으며 흐뭇한 미소.

고은도 이제야 내 딸이 사람답게 산다 싶어 그저 행복하고.

그걸 지켜보는 수현, 그때.

e　　　우와~ 냄새 죽이네~~

대문 열리며 양손 가득 쇼핑백 들고 들어오는 유리.

유리　나 많이 안 늦었죠?

고은　(반가워서) 못 온다더니?

유리　이 부부가 함께 있는 역사적인 현장에 내가 빠짐 되나~ 스케줄 조정했죠. (수
　　　호에게 손 내밀고) 이야~ 수호 씨, 눈물 나게 반가워요!

수호　(좋게 악수하며) 그러게요. 진짜 오랜만이네요.

수현　뭘 이렇게 사 왔어?

유리	우리 매장에서 제일 잘 나가는 골프 웨언데, 둘이 같이 입으라고.
	(수호 보며) 골프 치죠?
수호	(미소) 네.
유리	우리 언니도 좀 데려가 줘요. 아, 그리고 이건 울 엄마 스카프~ (둘러 주고)
고은	내 건 뭐 하러. 고맙다.

유리, 기분 좋게 웃으며 수현을 보는데,
스카프를 매만져 보는 고은을 바라보는 수현의 표정이…
어쩐지 웃고는 있지만 얼핏 스치듯 어두워 보이는… 그때.

수호	(고기 굽던 집게 내려놓고) 접시 좀 더 가져와야겠다.
수현	(얼른) 내가 할게.

일어나 현관으로 들어서던 수현, 잠시 멈추고 돌아보면….

유리, "언제 방송해요? 완전 기대된다."
수호, (미소) "많이 드세요, 어머니."

그렇게 서로를 챙기며… 이제야 겨우 행복을 되찾아 가려는데.
그들을 불안하게 바라보는 수현의 흔들리는 눈동자….

e	(수현의 헛구역질)

5씬   **깊은 새벽, 수현의 욕실 앞 / 안 (교차)**

| 수호 | (문 두드리며) 수현아? 괜찮아? |

수현, 간신히 추스르고는.

수현	(괜찮은 척) 어~ 저녁 먹은 게 좀 체했나 봐.
수호	(안 되겠고) 문 좀 열어 봐.
수현	됐어. 양치만 하고 나갈 테니까 먼저 자.
수호	(그래도 마음이 안 놓여서) 정말 괜찮아?
수현	(좋게) 그렇대도….
수호	(걱정되지만…) 알았어. 식탁에 소화제 꺼내 놓을게.

cut to   깊은 새벽, 주방
수호, 식탁에 약과 함께 물을 내려놓는데 그제야…
'오늘 무슨 일 있었나?' 욕실 쪽 향하는 눈빛.

cut to   깊은 새벽, 욕실 안
천천히 욕조 위에 걸터앉는 수현… 잠시 멍하니…
그러다 주머니에서 꺼내 드는 사진.
차분히 들여다보는… 그 위로.

| INS | *N, 사진 (창밖에서 찍은 구도)*
침대가 보이는 방.
뒤로 벗어 놓은 바닥의 옷들 사이로, 진한 스킨십을 나누는… 수호다.

그렇게 한참 동안 처연하게 바라보는 수현의 깊은 눈빛에서.

블랙아웃.

타이틀 <원더풀 월드>

6씬　　**D, 선율의 원룸**

햇살이 들어오는 내부.

뭐가 별로 없어서 깔끔하게 정돈된 주방.

책상 위에는 모니터만 달랑.

책꽂이에 꽂혀 있는 책들. 그중 한쪽에는 의대 관련 책들도 보이고.

빨아 놓은 옷들 사이로 하나폐차장 작업복.

한쪽에 LP판과 LP들.

싱글 침대 위 개어 놓은 이불과 베개.

심플한 내부.

군데군데 터프팅으로 만든 액자며 거울이며 보이고.

선율, 외출복으로 갈아입으며 통화하는 위로.

수진 e　　자기야~ 어디야~

선율　　까분다.

7씬　　**D, 터프팅 공방 / 선율의 원룸 (교차)**

화이트 톤 선반에 다양한 색감의 실들이 진열되어 있고.

한쪽 벽면에는 이미 완성된 터프팅 작품들 걸려 있는 가운데,

큰 프레임에 붙은 천 앞에서 터프팅 건을 든 채로 통화하는 수진.

수진	오늘, 쉬는 날이지? 밥이나 먹을까.
선율	오늘은 약속 있어.
수진	(서운) 그래?
선율	(툭 던지듯) 혹시 저녁 늦게도 괜찮나?
수진	(좋으면서도 아닌 척) 뭐 그러든지. (끊으려다가 얼른) 근데 오늘 무슨 약속? (이미 끊
	겼고) 누굴 만나길래?

다시 얼른 하던 작업 마저 하는 수진 위로.

| e | 탕탕탕탕! |

한쪽에 붙여 놓은 선율의 사진을 보며 천에 새겨지는 선율의 얼굴.

cut to
선율, 휴대폰 끊고는, 수현이 보내 놓았던 메시지를 다시 확인하는데.

[솔강 요양센터에서 2시에 봐요.]

플래시백 　(3화 24씬)

| 수현 | 자식을 잃었어요… |
| | 난 아직도 치유되지 않는 고통 속에서 매일매일 부서져 가요. |

선율, 휴대폰 검색창에 '은수현'이라고 쳐 보는데.

건우의 사망 기사와 수현이 잡혀 송치되던 장면들.

더블린상 수상하며 환하게 웃던 수현의 영상 등.
그리고 수호의 영상.

한번 대충 훑어보는 선율의 눈동자.

8씬   **D, 수현의 집, 주방**

수현, 마음을 다잡고 막 들어서는데,
유튜브 영상을 보며 따라 만든 죽을 막 테이블에 올려놓는 수호.

수현	(의아해서) 뭐해?
수호	앉아, 죽 좀 끓였어. (웃으며) 맛은 보장 못 해?
수현	출근하느라 바쁜 사람이 뭐하러… (그러면서도) 잘 먹을게.
수호	속은?
수현	(아무렇지 않게) 한결 편해. (머쓱) 방송 출연한다고 긴장했나 봐.
수호	(마음 안 좋고…) 오늘도 봉사 가?
수현	그러려고.
수호	맘 같아선 그냥 쉬라고 하고 싶구먼, 몸 안 상하게 조심해?
수현	으응.
수호	(숟가락 건네고) 자.
수현	(한술 뜨는데) 맛있어.
수호	(휴우… 안도의 미소와 함께 일상적인 대화를 하며) 점심 때 모처럼 태호한테 가 보려고. 저번에 보니까 꼭 노숙자더라고.

그런 수호의 말들이 잘 들리지 않으면서도…
심란한 심경을 티 안내려 애쓰며 짓는 수현의 미소.

9씬	**D, 대학 병원 외경**

cut to   D, 구내식당

태호, 수호 앞에서 바쁘게 식사하면서도 연방 떠드는.

태호	(절레절레) 진짜 씻는 게 용해, 밥도 10시간 만에 첫 끼야.
수호	(쯧쯧) 다른 사람 치료해 주다가 네 몸 병들겠다. 너부터 챙겨.
태호	그러고 싶지, 근데 엉덩이만 붙이면 호출이야. (그러다) 아? 그래도 방송은 꼭 챙겨 볼 거야.
수호	방송 얘기하지도 마. 엄청 후회하고 있어. 나 혼자 나갈 걸.
태호	(끔벅) 왜?
수호	(속상) 네 형수 방송 끝나고 밤새 토하고 힘들어했어.
태호	(놀라) 형이 억지로 데리고 나갔을 리도 없을 테고.
수호	나 위해서 나가 준 거야… 그걸 내가 끝까지 막았어야 했는데. (한숨)
태호	저런… (문득, 그러다) 뭐지? 형수님이 아프고 형이 속상한데 난 왜 부럽지? 뭔가 이것이 찐 부부의 사랑이란 걸 몸소 체험 중인 기분이야.
수호	(헛웃음…) 참, 내가 부탁한 건?
태호	(그제야) 아, (옆에 뒀던 검진 안내서들 테이블에 올려놓으며) 형수님한테 제일 괜찮은 걸로 몇 가지 골라 봤는데, 이거랑, 그리고 이거. 호흡기계랑 심장 CT까지 커버되니까 여기다 뇌혈관 MRI 정도 추가하면, 아, 요즘 유전자 검사해서 질병 특성 알아보는 것도 있는데.
수호	(웃음) 내가 골라 볼 테니까 밥이나 먹어. 너 시간 얼마 없다며.
태호	(긁적이며 막 한술 뜨는 동시에 띠리릭, 호출이다. 이미 엉덩이는 의자에서 떨어지며) 어! 가야겠다. ER인데 5중 추돌 T.A.래.

힘든 기색 없이 바삐 일어나는 태호를 보며 수호, 짠하면서도 기특한.

10씬	**늦은 오후, 뮤즈 인 청담**

골프 웨어 팝업 스토어로 꾸며지는 내부.

인부들 한쪽에다 인조 잔디 깔고 있고,

직원들도 박스에서 골프 웨어 꺼내 스팀기로 다리는 그 속에서,

유리, 전체 도안을 보다가 문득.

플래시백 바비큐 파티에서 얼핏 보였던 수현의 어두운 표정. (4씬)

유리, 얼른 아까 수현에게 보낸 톡을 보는데.

[1 언니, 별일 없지?]

여전히 1이 그대로 있다… 걱정스럽게 고개 드는데.

유리	(선반에 골프화 진열하는 직원을 향해) 진열 순서 틀렸잖아!

직원 1, 죄송하다며 꾸벅 인사. 재빨리 바로 놓는 위로.

직원 2	대표님! VIP 굿즈 이쪽에 진열할까요?
유리	입구 쪽 창가로. ('네!' 직원 2, 입구로 향하는데 마침 들어오는 미국인 클라이언트 1, 2 모습에 밝게) 안녕하세요~

클라이언트들, 내부 인테리어를 흥미롭게 보며.

클라이언트 1	와우, 멋져요!
유리	(살짝 정제된 미소로 / 영어) 저희 숍에서 첫 번째로 선보이는 골프 팝업 스토어라

신경 좀 더 썼습니다~ (자신감에 찬) 이쪽으로 오세요, 보여 드릴 게 있어요.

유리, 클라이언트들 모시고 가는 프로다운 모습에서.

11씬　　　**D, 솔강 요양센터, 생활실**
자원 봉사 조끼 입은 수현, 할머니 1을 부축해 휠체어에 태우고.

cut to　D, 요양센터, 재활치료실
수현, 물리치료사와 함께, 보행 치료 받는 할머니 1을 도와주는.
수현의 이마에 송골송골 맺히는 땀.

cut to　D, 요양센터 주방
묵묵히 불판을 닦아 내며 일하는 수현… 그 위로.

플래시백　수호의 불륜 사진 속 가려진 여자의 얼굴.

수현 e　누굴까, 이걸 나한테 보낸 사람.

플래시백　사진 아래 찍힌 날짜. 2017. 12. 24.

INS　　　*D, 교도소 (2화 37씬)*

수현　(수호 똑바로 쳐다보며) 이제 내 인생에, 당신 자리는 없어.

'그때였구나…'

흔들리는 수현의 눈빛.

cut to   D, 요양원 앞
멈춰 서는 선율의 오토바이.
선율, 올려다보는 곳, '솔강 요양센터' 간판이 보인다.

cut to   D, 요양원 구석
통화중인 수현, 수화기 너머 들려오는 소리를 듣고 있는….

스태프 e 네, 맞아요, 제가 그날 대기실에 봉투 갖다 놓았어요.
수현   혹시, 누구한테 받았어요?

cut to   D, JBS, 방송국 복도

스태프   저도 방송 땜에 정신없어서 다른 건 잘 기억 안 나고, 어떤 남자분이 전해 달
         라고만 했어요.

cut to   D, 요양원 구석
전화 끊는 수현… '남자라…'
그 사진을 내려다보는데.

선율   (뒤에서) 권선율입니다.

흠칫. 얼른 사진을 가리는데 그 앞에 서 있는 선율.
선율이 사진을 봤는지 못 봤는지 난감한 그때.

저기 생활실에서 비명 소리와 우당탕탕 소리에.

수현/선율   (!)

cut to   D, 생활실 안
남자 1, 장롱이며 수납장을 뒤집어엎고.
직원들 말려 보지만 역부족.

할머니 1   (가슴을 치며) 아이고! 이 썩을 놈! 왜 또 와서 지랄이야!!

남자   (할머니 1의 팔을 낚아채며) 말해, 통장 어딨어!

수현   (달려와 남자의 손 떼어 내며) 지금 뭐 하는 거예요!

남자   (수현 확 밀치며) 비켜!

할머니 1   (악쓰며) 차라리 이 할미를 갖다 팔아먹어라! 이 망나니 같은 놈아!

남자   돈이 돼야 팔아먹지! 통장 어딨는지나 말하라고!! (선반에 둔 화분 번쩍 들고)

수현, 본능적으로 할머니 1을 감싸는데, 그대로 수현의 등을 내리치는 화분.
순간, 수현을 몸으로 막으며 대신 선율이 맞았다.

동시에 벽에 '쿵!' 부딪치며 내동댕이쳐진 남자.
선율, 함부로 화분을 내리친 놈을 인정사정없이 패 버리고.
'안 돼!' 수현, 미처 말릴 새도 없이.

e   경찰차 사이렌 소리.

12씬   N, 경찰서

남자, 상처 난 자신의 얼굴 가리키며.

남자   이것 좀 봐요! 저 새끼가 이랬다니까!!

선율 e   쓰레기가 말을 하네.

유치장 안에 꼿꼿하게 앉아 있는 선율.

남자   (버럭) 저 새끼가 진짜!

선율   (O.L) 형사님, 그냥 법대로 하시죠.

형사 1   (쾅쾅) 둘 다 조용히 안 해요?! (선율을 향해) 아무리 정당한 행위였어도, 지금 합의 안 하면 형사 처벌 받아요. 연락할 사람 없어요?

선율   (잠시 흔들리지만… 이내 곧 단호하게) 없어요. (와 동시에)

e   제가 보호잡니다.

그 소리에 흠칫. 보면… 수현이다.
그렇게 유치장을 사이에 두고 서로를 바라보는 두 사람.

13씬   **N, 경찰서 앞**

선율, 앞장서는 수현을 뒤따르다가.

선율   (발끈) 누가 저런 새끼랑 합의해 달랬어요?

그제야 발걸음 멈추고 돌아보는 수현. 잠시 선율을 바라보다가….

수현   … 따라와요.

다시 앞서가는 수현을 못마땅하게 눌러보는 선율.

14씬　　**N, 식당**

수현, 외면한 채 앉아 있는 선율 앞에 수저 꺼내 앞에 놓아 주고는.

수현　　(이 아이가 좀 걱정되고) 원래 그렇게 주먹부터 나가요?

선율　　(듣기 싫고) 일기장이나 줘요.

수현　　(그런 선율을 잠시 보다) 합의 안 하면? 감옥이라도 가게요? 그럼 마음이 좀 풀릴 거 같아요?

선율　　나 잘못한 거 없는데.

수현　　알아.

선율　　(흠칫)

수현　　(진심으로…) 나도 그렇게 생각해. 근데, 세상은 몰라.

오직 널, 전과자로만 기억할 거야.

이건… 먼저 겪어 본 사람으로서 진심으로 하는 말이야.

선율　　(…)

수현　　나는 네 인생이 여기서 끝나는 건 원치 않아.

선율　　(…)

수현　　합의금은, 그쪽 미래를 산 값이라고 생각해.

순간 선율의 마음에 이는 동요…

마침 설렁탕 나오고.

선율, 잠시 수현을 눌러보다가.

선율　　합의금 꼭 갚을 겁니다. (그래 놓고는 먹기 시작하면)

수현	(컵에 물 따라 건네주며) 어, 꼭 같아. 나 너 어디 사는지도 아니까.
선율	(묵묵히 먹으며…) 근데 왜 반말?
수현	(멈칫) 안… 되나?
선율	맘대로 하세요.

묵묵히 먹는 모습을 바라보는 수현.

cut to N, 식당 앞

수현과 선율, 식당 앞 통나무 의자에 나란히 앉아 커피를 마시는….

수현	(조심스레 일기장 꺼내 건네며) 혹시, 이거 읽다가 마음이 너무 힘들면… 나한테 연락해.
선율	(본다…)
수현	그리고… 아픈 거에 무뎌지지 마. 다친 덴 치료 받고.

수현, 일어나 가려는 그때.

선율	필카로 찍은 거예요.
수현	(?)
선율	아까 그 사진.
수현	(…!)

플래시백 수현이 보고 있던 사진. (11씬)

선율	씨네스틸 800t라는 텅스텐 필름을 썼던데. 그거 찍은 놈 전문가예요.

수현	(보면…)
선율	저도 사진을 좀 알아서요. 그쪽도 필요하면 연락해요.

자리 뜨는 선율.
그런 선율을 무심히 바라보는 수현…

15씬   N, 선율의 원룸

선율, 털썩 앉더니, 일기장 내려놓고 그저 쳐다보기만…
한 번 펼쳐 보려다가 관두자.
그대로 기대 누워 생각에 잠기는데.

플래시백   수현의 모습들.
제가 보호잡니다. (cut)
나는 네 인생이 여기서 끝나는 건 원치 않아. (cut)
아픈 거에 무뎌지지 마. 다친 덴 치료 받고. (cut)

선율, 뭔가 마음이 복잡해지고… 다시 한 번 일기장을 눌러보는.

16씬   N, 수현의 동네

수현, 걸어오는 그때…
동네 카페테라스에서 담소 나누던 사람들, 수현 쪽 보고는.

주민 1	허! 맞지? (눈짓으로 저만치 수현을 가리키면)
주민 2	(호들갑) 어어! 맞네.

마침 수현이 이쪽을 바라보자 자기들끼리 수군대는 사람들.
수현, 그 따가운 시선을 느끼며 지나치는데 그때.

클랙슨 소리. 혜금이다.

주민 1	(손 흔들고) 희재 엄마~ 차 한잔하고 가~
주민 2	(반갑게) 그래요, 혜금 씨, 어서 와요~~
혜금	나중에요~ (그래 놓고는 수현을 향해) 타세요~!
수현	(?)
혜금	어차피 가는 길인데 태워다 드릴게요. (재촉하며) 얼른요~!

수현, 동네 사람들 쪽 난감하게 보고는 할 수 없이 차에 몸을 싣고.
떠나는 혜금의 차.
동네 사람들, '뭐야?' 황당하게 쳐다보는 눈빛.

17씬	**N, 혜금의 거실**

소파에 앉아 둘러보는 수현의 눈에,
응급키트, 채혈기, 채혈 수첩도 보이고…
선반마다 꽂혀 있는 소아 뇌전증 관련 책들과 케톤 식이요법 책,
소아 뇌전증 환우 모임 '퍼플데이'에서 찍은 활동 사진 액자와 굿즈들.
한쪽에는, '윤 갤러리' 팸플릿과 초대장. (관장 윤혜금)
그러다 이탈리아 두오모 성당 앞 혜금과 희재 얼굴 새겨진 컵 보이고.

혜금	(차 내오며) 희재랑 처음 같이 간 해외여행에서 찍은 거예요.
	드세요. 차 한잔하고 싶었어요.

수현	사람들 수군대요. 나랑 어울리면.
혜금	(개의치 않는) 상관없어요, 건우 엄마도 그랬잖아요.
수현	(?)
혜금	기억 안 나세요? 희재 별명이 거품 괴물이었던 거.
	발작할 때마다 입에서 거품 난다고 애들이 지어 준 거요.
수현	(본다…)
혜금	근데 건우가 와서 그러더라고요? 희재 형아는 거품 괴물이 아니라 세상에서
	제일 축구 잘하는 멋진 형이라고… 엄마가 그랬다고…
	저 그날 엄청 울었잖아요. 다들 우리 희재랑 못 놀게 하는데 건우 엄마만 희
	재하고 놀게 해 주셨어요.
수현	(애틋하게 보는…)
혜금	저요, 친구들 수능 볼 때 희재 낳으러 병원에 누워 있으면서 무슨 생각했는
	지 아세요? … 낳지 말 걸… (좀 부끄러운…) 그랬던 제가 건우 엄마 보면서 많
	이 배웠어요, 정말로, 좋은 엄마세요….
수현	난 그런 말 들을 자격이 없는데….
혜금	(진심) 아니에요, 많이 가르쳐 주시고 또 챙겨 주셔서 고마워요.
	그 마음의 빚, 살면서 꼭 한번은 갚을게요….

18씬   N, 혜금의 집, 대문 앞

수현, 배웅하는 혜금을 보며.

수현	들어가요.
혜금	네. 가세요.
수현	(가려다가 멈칫…) 오늘, 저도 덕분에 위로 받았어요.

그렇게 서로를 따스하게 바라보며 용기가 되어 주려는 두 사람….

19씬　　　**N, 수현의 집 외경**

20씬　　　**N, 수현의 집, 주방**

수현, 수호와의 진심 어린 대화를 위해 정성스레 음식을 만들고….

컷 튀면.

현관문 열리는 소리와 함께.

수호 e　　　나 왔어~!

그제야 수현의 손, 멈칫.
마침, 들어오던 수호, 근사하게 차려진 식탁에 순간 눈이 휘둥그레.

수호　　　(놀라) 이게 다 뭐야?

수현　　　… 실력 발휘 좀 해 봤는데 마음에 들지 모르겠네.

수호　　　(고마운 마음보다 수현 걱정이 더 크고) 내 마음이 뭐가 중요해. 당신 컨디션도 별론
　　　　　데.

수현　　　어쩌다 한번인데 뭐.

수호　　　아, 이거. (꽃다발 내밀고) 당신이 좋아하는 미스티블루.
　　　　　꽃말은 내 마음. "영원히 사랑합니다~"

수현　　　(향 맡으며) 고마워.

수호　　　(들뜬 미소로) 얼른 씻고 올게?

나가는 수호를 보는데… 수현의 마음, 좀 떨리는 거 같기도.

(디졸브)

화병에 꽂혀 있는 미스티블루를 은은하게 비추는 촛불.
수호, 오픈한 와인을 디캔터에 부으며.

수호   이 와인, 미국에서 마셔 보고 그대로 반했잖아. 고령의 포도나무에서만 수확
        한 걸로 만든 건데 과실 향이 끝내줘.

수현의 잔에 따라 주고 자기 잔도 채우고는 건배하는 두 사람.

수현   좋네….
수호   (기분 좋고) 오늘 뭐 했어?
수현   (수호에게 제대로 시선 주지 않고) 봉사도 다녀오고, 희재 엄마 집에서 차 한잔했어.
수호   (대수롭지 않게) 앞집 여자 만났어?
수현   응. 집에 오는 길에 우연히… 나더러 좋은 엄마라고 하더라….
수호   당연하지, 당신 좋은 엄마야, 좋은 아내고.
수현   (낮은 미소… 그때)
수호   수현아.
수현   (그제야 제대로 수호를 보면)
수호   (그 눈을 똑바로 바라보며…) 무슨 일 있어? 오늘 당신 좀 이상한데?

수현, '그래… 어차피 결심한 일이니까…'

수현   어, 나 실은, 당신하고 할 얘기가 있어.

수호   뭔데?

수현, 수호 앞에 놓는 사진.
수호, 뭔가 싶어 보다가 점점 얼어붙고!

수현   이런 게 왔더라. (나무라는 게 아니라 좋게…) 뭘 어떻게 했기에 이런 걸 받게 해.

수호   (말문 턱 막히고, 떨리는) 수현아, 이, 이건….

수현   (당황하는 수호와는 달리 담담한) 그런 생각한 적 있어. 우리가 헤어져 있는 동안 당신한테 여자가 생겼을 수도 있겠다. 만약 다른 사람이 좋다고 하면 언제든 보내 줘야지….

수호   (속상해서 발끈) 아니야! 내가 어떤 마음으로 너한테 돌아간 건데…!

수현   (…)

수호   (차마… 정말 어렵게…) 미안하다… (고개 숙이는…) 바보처럼… 실수했어….

수현   …

수호   우리가 헤어졌을 때… 그때 잠깐… (진심을 다해) 그치만 우리 다시 시작한 순간부턴 나, 너밖에 없어. (사진이 부끄럽지만) 이건… 정말… 기억에도 없을 만큼 아무것도 아냐, 다 지난 일이야.

수현, 그런 수호를 잠시 바라보다가….

수현   그럼 됐어.

수호   (흠칫)

수현   어쩌면 그 말이 듣고 싶었는지도 모르겠어. 다 지난 일이라면 나 당신 탓하지 않을 거야. 덮자.

수호   (더 미안해지고) 수현아….

수현   (애써 좋게) 우리, 다시 시작하기로 한 거잖아.

수호	(간신히…) 그래… (끄덕이다가… 문득) 혹시 엊그제 당신 토했던 것도 이것… 때문이야?
수현	(…)
수호	(너무 마음 아프고…) 그런 줄도 모르고….
	(다시금 온 마음 다해) 내가… 약속할게.
	앞으로 살면서… 두 번 다시 당신 실망시키는 일 없어. 진심이야.
수현	(담담하게 끄덕여 주고는…) 이건 당신이 버려.

수호, 미안한 마음으로 수현 눈앞에서 사진 치우는데…
좀 조심스럽지만….

수호	근데… 당신은 이걸 어디서 받은 거야…?
수현	저번에 우리 같이 방송한 날, 방송국으로 어떤 남자가 전해 달라면서 갖고왔대. 혹시, 짐작되는 사람 있어?

없다는 수호의 눈빛… 속에 불안감이 감돌고.

21씬　　**N, 선율의 원룸**

뒤로 들리는 뉴스 소리 위로,

(화면 - 김준과 최주석이 악수하는 화면

집권 여당인 한국연합당 내 제 00대 대통령 후보를 뽑는 본경선 레이스가 갈수록 치열해지고 있습니다. 금일. 최주석 의원이 김준 의원을 지지하기로 선언하며 경선 출마를 포기하기로 공식 발표하였습니다. 따라서 예비 경선을 통과한 주자가 4인에서 최종 3인 체제로 구성됨에 따라, 다음 00일까지 혈투가 벌어질 예정입니다.)

한쪽에서 선율은 통화 중이고.

수진은 주방에서 쟁반에 치맥을 준비하며 선율 쪽 힐끔거리는.

비서관 e	계획대로 됐다, 수고했어, 어디 여행 좀 다녀와.
선율	아뇨, 할 일이 있어요.

끊음과 동시에, 수진, 들고 와 맥주 건네고는.

수진	(같이 마시고는 일기장 가리키며) 저거 뭐야.
선율	오늘 받아 왔어.
수진	나 오늘 자고 갈까?
선율	야.
수진	내가 오늘 너 지켜 줘야 할 거 같아서~
선율	(낮은 실소… 그 끝에 생각이 나는 사람…) 그 여자가 그러더라… 자기가 내 보호자라고….
수진	(보면…)
선율	힘들면 연락하래….
수진	(잠시 바라보다가…) 너 씨. 지금 내 앞에서 다른 여자 얘기하는 거야?

선율, 수진한테만 보여 주는 편안한 미소로 TV 화면에 시선.
<잠시 후 공감 토크쇼가 시작됩니다> 멘트와 함께,
수호와 함께 있는 수현의 얼굴.

cut to 창밖으로 보이는 선율의 동네 야경과 연결되며.

22씬	**N, 수현의 집, 거실**

수현, 불편한 마음으로 수호와 함께 방송을 바라보는데.

TV화면   3화 공감 토크쇼 방영 중
무대 중앙으로 향하는 수현과 수호에게 쏟아지는 방청객들의 박수.

MC	네! 오늘 '공감 토크쇼'에는 JBS 8시 뉴스의 새 얼굴! 강수호 앵커, 은수현 씨 부부를 모셨습니다,

cut to   N, 고은의 식당 (문 닫을 시간)
고은도 수현의 방송을 먹먹한 마음으로 보고 있는데.

TV 화면   스튜디오

수현	저는, 제 목숨보다 더 소중한 한 아이의 엄마였습니다.
	그리고 하루아침에 그 아이를 잃었습니다.
	매일 그 사실을 받아들이려 애쓰지만 그러지 못할 때가 더 많아요.

고은, 눈가 훔치고.

cut to   N, 청담 숍
유리, 직원들과 바삐 디스플레이하며 일하는 가운데,
아이패드로 수호와 수현을 따스하게 바라보고.

TV 화면 속

수현	하지만 이젠 전부 잊고 내려놓아야 할 때인 거 같습니다.

cut to 고은의 식당

TV 화면 속

수현 내 남은 가족을 지키기 위해서라도, 언제나 건우에게 부끄럽지 않은 엄마이
자 어제보다 더 나은 아내가 되도록 노력하며 살겠습니다.

그걸 보는 고은의 등 뒤로 역시나 화면을 바라보고 있는 시선.
천천히 내려가 가 보면, 뉴발 530 운동화.

잠시 후 '쾅!' 문 닫히는 소리에 고은 흠칫, 돌아보면,
먹지 않은 음식들 옆에 올려 둔 돈…
아무도 없다.

cut to N, 홍어집
가게 안 TV에서도 수현과 수호의 방송이 나오고 있고.

김준, 먹으면서 무심히 바라보는 눈빛.
그때, 비서관, 그 앞으로 정중하게 내미는 태블릿.

비서관 댓글 분위기가 뜨겁습니다.

INS *쏟아지는 긍정적인 방송 댓글들*
두 분 진심으로 응원합니다!
오늘 방송 보면서 같이 울었어요!.

나 같아도 은수현처럼 한다! 내 새끼 건드리면 다 죽는 거야!
둘이 완전 찐사랑이네.
강수호 앵커님 앞으로 뉴스는 JBS로 갈아탈게요. 오늘 멋지심.
강수호 왠지 영화배우 해도 잘할 듯, 존 멋!!
저런 정의감 넘치는 사람이 정치해야 하는데 ㅜㅜ

훑어보던 김준, 묘한 눈빛으로 홍어를 집더니.

김준   딱 이거재, 푸우욱 삭혀야 이 맛이 나는 기다.

그러면서 김준, 화면 속 수호를 홍어 보듯 눌러보는 눈빛.

23씬   깊은 밤, 불 꺼진 부부의 방

깊이 잠이 들지 못하는 수호.
'도대체… 누가 그 사진을 보낸 걸까…'
그러다, 돌아보는데, 비어 있는 수현의 자리.

cut to   깊은 밤, 2층 창가
수호, 내려다보면, 정원 의자에 앉아 생각에 잠긴 수현의 모습.
그걸 보고 있자니 어쩐지 더 불안한….

cut to   깊은 밤, 정원
불안하기는 수현이도 마찬가지…
다 덮자고 했으면서도… '도대체… 누가 보낸 걸까…'

N, 암실

무언가 다음 단계를 준비하는 손.

카페 사진이다.
종이 사이 틈으로 수호가 누군가와 마주 앉아 있는 사진이 보인다.
상대방 얼굴, 종이에 가려 보이지 않는. (F.O)

25씬   **D, (F.I) 보도국**

사장, 보도국에 들어오자 기자들 일어나 인사하고.
건성으로 인사 받으며 막 회의실에서 기자 2와 대화하며
나오는 수호를 향해.

사장	강 국장!
수호	사장님, 무슨 일로…?
사장	무슨 일이긴. 방송 반응 죽이더라. 내가 아주 마음이 이제 푹~ 놓여. 강 국장 만 믿고 간다?
수호	(저 속을 알지만 애써 머쓱한 듯) 감사합니다.

사장, 만족한 듯 나가면
주변 기자들, "진짜 멋졌어요.", "두 분 보기 좋았어요.",
"순간 시청률 12프로 돌파! 와!"
수호를 향해 칭찬하고.
수호, 담담한 미소로 감사 인사 받으며 그렇게 국장실로….

26씬	**D, 국장실**

수호, 들어와 자리에 앉는데, 직원, 노크와 함께 들어서며.

직원	(USB 테이블에 내려놓으며) 말씀하신 날짜 CCTV입니다.
수호	수고했어요.

직원, 깍듯이 인사하고 나가면,
USB 연결하며 파일을 클릭하는 수호의 서늘한 눈빛.

CCTV 영상   (빠른 배속)

출연자 대기실 앞에 수현과 수호가 나란히 들어가는 모습 /
잠시 후 유 PD와 함께 나가는 모습 /

현장을 왔다 갔다 하는 스태프들 /
물건 들고 지나가는 퀵 기사 /

몇몇 방송국 직원들 커피 마시며 지나가고 /
연예인 스타일리스트가 옷을 잔뜩 이고 가는 모습 /

그때, 스태프, 대기실 쪽으로 걸어오는데 손에 들린 봉투 /

현재

수호, 눈 커지며 스태프의 동선을 찾아 CCTV 여기저기 클릭.

CCTV 영상

분명 여기서는 스태프의 손에 아무것도 없었다가,

다른 영상에서는 손에 봉투를 쥐고 있는.

'도대체… 누굴까.'

27씬　　　**D, 고은의 집, 대문 앞**

누군가 걸어와 멈춰 서는 발, 뉴발 530 운동화.

28씬　　　**D, 애프터눈 티 카페**

분위기 좋은 가운데… 마주 앉아 있는 수현과 유리.

수현, 막 문자 수신음 확인하는데 위로.

수호 e　　　CCTV 다 확인해 봤는데 못 찾았어.

마침, 유리, 디저트를 건네며.

유리　　　먹어 봐. 여기, 한 달 전 예약은 필수인데, 여기 셰프가 우리 직원이랑 썸 타. 내가 입김 좀 넣었지.

수현　　　고맙다….

유리　　　(바라보다가…) 언니 무슨 일 있지?

수현　　　(보면…)

유리　　　아니, 저번에 언니 집에서 바비큐 파티할 때 표정도 안 좋고 문자에 답도 없고….

수현　　　(잠시 바라보다가) 유리야….

유리　　　(얼른) 어.

수현	내가 너한테 이혼 서류 줬을 때 말야. 나 정말 수호 씨 놔주려고 했었다?
유리	알지, 내가 그걸 어떻게 몰라.
수현	내 인생에서 나가라고 했었어. 더는 당신 자리 없으니까. 그렇게 모진 말 해 가면서도, 그 사람이 좋은 사람 만나서 지금보다 행복해지길 바랐었어… 나 잊고 새 출발하기를… 근데… 사람 마음 참 희한하지? (덤덤하게) 정말 다른 사람 만났다니까 기분 별로더라.

그 소리에 귀를 의심하며 천천히 얼어붙는 유리의 얼굴.

유리	다른… 사람? 그게… 무슨 소리야?
수현	(유일하게 마음을 터놓는 사람이기에…) 수호 씨, 여자 있었어.
유리	(멍해지는…) 어? 수…호 씨가 그래?
수현	아니. 누군가 나한테 두 사람 지난 사진을 보냈더라.
유리	(심장이 쿵…) 그럼… 상대 여자가… 누군…지도 알겠네?
수현	(잠시 바라보다가…) 몰라. 여자 얼굴은 안 나왔어.
유리	(!)
수현	차라리 잘됐지 뭐. 봤다면 평생 그 얼굴이 머릿속에 남아 있었을 텐데….
유리	(떨리는) 수호… 씨는 뭐래? 얘기해 봤어?
수현	응. 어젯밤에… 기억에도 없을 만큼 아무것도 아닌 여자래….
유리	(…)
수현	그냥 덮기로 했어. (그러다 수저 내려놓더니) 근데… 나 말만 그렇게 했나 봐.
유리	(떨리는 눈동자)
수현	분명 머리로는 다 이해했거든. 그 사람 나랑 헤어지고 많이 힘들었던 것도 알고, 그때 만난 사이를 내가 뭘 어쩌겠어. 거기다 다 지난 일이라잖아… 근데도 자꾸만 누가 이 사진을 보냈는지도 궁금하고, 사진 속 여자는 또 누굴까 계속 신경 쓰이고 그래….

유리	(마음 아파서) 언니….
수현	… 천둥 같은 일을 당했다고 소나기 맞는 일이 수월해지는 건 아닌가 보다… 나 왜 이런 걸로 마음이 쓰이니…. (씁쓸한…)
유리	(속상해서) 언닌 여자 아냐? 아무리 지난 일이라도 당연히 맘 쓰이지!
수현	…
유리	(안쓰럽게 보다가) 그치만 언니, 그냥… 묻어. 뒤도 돌아보지 말고… 수호 씨가 그랬다며. 기억에도 없는… 여자라고… (진심으로) 수호 씨가 정말 사랑하는 사람은 언니뿐이야. 그건 내가 보증해. 옆에서 봤으니까….
수현	…

마침, 울리는 유리의 휴대폰.

유리	여보세요, (저쪽에서 뭐라고 하는지) 네, 지금 가요. (끊고 서두르는) 나 숍에 급한 일이 생겨서….
수현	어, 먼저 일어나.
유리	내가 다시 연락할게!

뭔가 좀 다급하게 자리를 뜨는 유리.
수현, 가만히 창밖으로 유리가 떠나는 걸 바라보는데…
울리는 휴대폰. 액정 '엄마'

수현	(보는 것만으로도 먹먹해지는…) 엄마.

29씬　　**D, 고은의 집 앞**

장바구니 들고 들어오는 고은.

고은   전화했었네? 장 좀 보느라 몰랐어.

대문 앞에 꽂혀 있는 우편물들 챙겨 들고 들어가는 고은을…
여전히 누군가 지켜보는 시선.

cut to   D, 카페 / 고은의 집 (통화 중)

수현   그냥… 엄마 목소리 듣고 싶어서요.
고은   으이그, 그럼 오지. 엄마도 너 보고 싶은데. (과일들 꺼내며) 어어~ 농산물 시장
        에. 거기가 물건이 좋더라고. 간 김에 이거저거 사다 보니 시간이 이렇게 된
        줄 몰랐네.
수현   손목도 아픈데 들고 오기 무겁게, 나랑 같이 가지.
고은   내 딸 아까워서 싫어.
수현   나… 지금 엄마 보러 갈까.
고은   (환해지며) 그럴래? 나야 좋지~ (우편물들 대충 뒤적이며) 엄마가 뭐 해 줄까.
        먹고 싶은 거 말해 봐. (수현의 얘기를 들으며 봉투 하나를 집어 들고 이리저리 확인해 보
        며 혼잣말) 이게 뭐야?
수현   (그 소릴 들었고) 여보세요? 엄마?
고은   어~ 아니 뭔 우편물에 보내는 사람도 없고 아무것도 안 적혀 있다? (하면서 뜯는)

수현, 대수롭지 않게 넘기는 그 순간… 보내는 사람이 없다…?
'설…마?!'
와 동시에.

INS   *손에 들린 수호의 불륜 사진을 놀란 채 바라보는 고은.*

수현   엄마? 엄 (마, 와 동시에)

뭔가 와당탕 굴러 떨어지는 소리와 함께 뚝 끊기는 고은의 휴대폰.
수현, 벌떡 일어나고!

30씬   **D, 고은의 집 앞**
수현, 황급히 차에서 내려 달려 들어가는데.

cut to   D, 거실

수현   (사색이 된 채) 엄마!!

거실 여기저기 나뒹구는 과일들.

수현, 방이며 욕실이며 열어 보지만, 고은이 없다.
황급히 휴대폰 거는데 한쪽 구석에서 울리는 고은의 폰.

천천히 고은의 휴대폰 쪽으로 다가가는 수현의 떨리는 눈동자.
폰 옆에 떨어져 있는 익숙한 봉투… 그리고,
구겨진 수호의 불륜 사진.

수현   (심장이 쿵…)

31씬   **D, 고은의 식당 앞, 동네 여기저기**

수현, 뛰어다니며 고은을 찾는…

'엄마 도대체 어딜 간 거야…!'

애가 타고 침이 마르고 가슴이 쿵쾅대는데….

얼마나 뛰어다녔을까….

달려오던 수현의 발, 멈추어 서고….

cut to   N, 버스 정류장

저기, 벤치에 멍하니 앉아있는 고은의 모습…

수현, 가슴이 저려 온다….

고은, 건우만 한 아들 손을 잡고 걸어가는 엄마를 물끄러미 보는데….

플래시백   건우가 버려진 자리에서 목 놓아 오열하던 수현.

(1화 32씬)

고은, 억장이 무너질 것만… 그때 옆에 앉는 수현….

고은   (벌게진 눈동자로 흠칫) 여긴 어떻게…?

수현이도 붉어진 눈동자로 고은을 보다가 그냥 말없이 꼭 안아 주고는.

수현   엄마… 나 괜찮아….

고은   (그 소리에 점점 굳어지며…) 너… 알아…?

수현	(아프게 보다가… 끄덕이는…)

'세상에… 이 불쌍한 내 새끼한테 왜… 또….'
아무리 울음 참아 보려 해 봐도….

고은	끅… 끅… 수호 그 자식 가만 안 두려고… 그 자식한테 가려고…
	근데 못 갔어… 네가 더 아플까 봐….
수현	(고은의 마음을 다독여 주며) 잘했어 엄마… 다 지난 일이래, 나랑 헤어졌을 때 그
	때였대….
고은	(가슴이 찢어지는…) 나…쁜 놈. 좀 참지… 내 새끼는, 하루아침에 새끼 잃고 그
	차가운 감옥 바닥에서 버티고 사는 동안, 좀 버티지….
수현	(입술 꾹…)
고은	(순간 눈동자 요동치며) 설마…? 너한테도 이 사진 보냈어?
수현	(말문 막히고…)
고은	(억장이 무너지고) 누구 짓이야. 이 사진 속 여자야?
수현	(가로젓는… 꾹 삼키며) 모르겠어요….
고은	감히…! 내 딸을 건드려? 내가 어떻게든 찾아내서 가만 안 둘 거야, 너한테
	건우 전부였듯이, 엄마도 너 위해서라면 못할 게 없어…!
수현	(힘들어 하는 고은을 보니 더 가슴이 아파 오고… 꼭 안아 주며) 미안해요, 엄마… 또 이렇
	게 걱정을 끼쳐서….
고은	(그런 수현을 더 꽉 안아 주며) 그냥도 불쌍한 내 새끼한테 왜….

가슴으로 전달되는 고은의 고통에…
수현, 온 힘을 다해 눈물 참아 보지만… 점점 끓어오르는 분노심…
'내 엄마는 건드리지 말았어야지….'

32씬	N, 뉴스룸

JBS 로고 앞에서 사보 촬영 중인 수호.

계속 터지는 플래시 속에서도 여유로운 미소 잃지 않는 수호…

마지막 플래시 '팡!' 터지면서.

e	(찍으며) 고생하셨습니다!

수호, 이제야 조금 피곤한 기색으로 자리에서 일어나자.

기자	아유, 사보가 아니라 무슨 화보인 줄? 뉴스 국장이 배우 뺨치게 나오면 어떡
	합니까? (엄지 척)
수호	(어깨 툭 쳐 주며) 비행기 태우기는. 수고했어들~

걸어 나오는데 울리는 수호의 휴대폰. 액정 확인하더니,

주변 의식하며 사람 없는 쪽으로….

수호	(목소리 낮추며) 여보세요, 안 그래도 확인할 게 있었는데, 당신이야? 그 사진
	보낸 사람? (듣고는) 일단 만나서 얘기해.

끊는데, 곧, 문자 수신음. 확인하던 수호, 서둘러 나가고.

cut to   N, 방송국 복도

다급하게 걸어 나오는 수호 위로 또 울리는 휴대폰, 액정 '수현'

수호	(당황스러운 마음 숨기며) 어, 수현아…?

| 33씬 | **N, 방송국 앞, 수현의 차 안 / 방송국 복도 / 교차** |

서늘하게 올려다보는 수현.

| 수현 | 언제 끝나. |
| 수호 | 오늘 회의가 길어질 거 같은데? … 알았어. 끝나고 바로 전화할게. |

끊는데 뭔가 좀 수현의 목소리가 평상시랑 다른 게 느껴지고.

cut to   N, 방송국 앞
수현, 여전히 방송국을 서늘하게 올려다보는 눈빛.
나는 괜찮아도 내 엄마를 건드린 건 용서할 수 없다.
이제 누군지 반드시 알아야겠다.
그 순간, 저기 방송국 정문으로 막 빠져나오는 차. 수호다.

| 수현 | (?!) |

| 수호 e | 오늘 회의가 길어질 거 같은데? |

'방금 회의가 길어진다고 해 놓고, 어딜…?'
순간, 의구심이 생기는 수현의 눈동자.

| 34씬 | **N, 도로** |

저 앞, 달리는 수호의 차,
한, 두 대 차를 사이에 두고 계속 쫓는 수현.

노란 불로 바뀌는 신호등.

동시에 수호의 차 속력을 내며 교차로를 휙 지나가고.

수현의 차, 빨간불에 걸려 급브레이크.

저만치 멀어지는 수호의 차.

'도대체 저 사람, 어딜 가는 걸까.'

cut to   N, 인근 교차로

수현, 계속 수호의 차를 찾으며 직진 신호를 기다리는데, 놓친 거 같다…

그때, 어디선가 갑작스레 들리는 차들의 클랙슨 소리.

여기저기서 '빵! 빵빵! 빠아아앙!!' 정신없이 울려 대고,

소리 나는 쪽 돌아보는데.

대각선 수호의 차가 교차로 중간에 어정쩡하게 급브레이크로 멈춘 바람에

다른 차들의 주행을 방해하고 있는.

'저기 있었구나!!'

다시 수호를 찾은 수현의 눈동자.

cut to   N, 도로

계속 달리던 수호의 차, 좌회전 차선에서 깜빡이 켜 놓고 기다리는.

수현, 이만큼 떨어진 뒤에서 수호의 차를 눌러보는데,

수호의 차 좌회전 받으며 들어가는 곳.

<삼청 알루어 HOTEL>

순간, 수현의 눈동자, 조금씩 요동치고. '저긴 왜…?'

| 35씬 | **N, 삼청 알루어, 엘리베이터 앞** |

수호, 주변을 살피며 고개 숙인 채 걸어오고.

마침, 이쪽으로 커플이 걸어오자 혹시나 자신을 알아볼까 발길 돌려 비상계단으로.

뒤따라온 수현, 비상계단을 눌러보고.

cut to   N, 어두운 호텔 복도

수호, 701호 앞에 멈추어 서고.

수현, 이만큼 떨어진 곳에서 바라보는데.

수호가 잠시 숨 고르고는 주변을 살피더니 초인종 누르는 게 보이고.

수현, 긴장된 채 지켜보는 가운데, 서서히 열리는 701호.

나와서는 검은색 힐. 수호에게 가려 보이지 않는데.

드디어 수호의 어깨 너머 조금씩 보이는 얼굴.

'혜금'이었다.

그대로 얼어붙는 수현의 눈동자에서.

4화 엔딩

| 36씬 | **(에필로그) D, 선율의 원룸** |

| 수진 e | 우리 오늘 볼까? |
| 선율 | (통화하며) 미안. 나 오늘 갈 데가 좀 있어. |

끊고는.

cut to D, 동네
선율, 헬멧을 쓰고 출발하는 눈동자.

37씬　　**D, 한국대 병원 앞**

선율, 올려다보고.

cut to 복도
걸어오는 선율.
1405호 앞에 멈추어 서는데,
천천히 열리는 문.

안으로 들어가는 선율.
그 앞에, 누워 있는 여자(식물인간).

천천히 클로즈업 되는 얼굴, '은민'이다.

INS　　*암실, 액자 속 <지웅과 아이, 그리고 은민의 얼굴>*

　　현재
　　침대에 누워 있는 지웅의 아내를 무심히 바라보고 서 있는…
　　선율의 눈동자.

WONDERFUL WORLD

원더풀 월드

- 5화 -

이러 거
하나도
안 아파요

N, 호텔 복도

cut to   701호 앞 복도

굳은 채 서 있는 수현. 그 위로.

빠르게 돌아가는. (4화 엔딩 씬들 컷컷)

수호의 차를 뒤쫓는 수현. (4화 34씬)

701호 앞, 주변을 살피며 초인종 누르는 수호. (4화 35씬)

문 열리며 서서히 모습을 드러내는 얼굴, 혜금! (4화 35씬)

함께 방으로 들어가며 닫히는 701호. (4화 35씬)

현재

남편이 앞집 여자와 들어간 문 앞에… 그 701호 앞에…

천천히 다가와 서는 수현.

초인종을 바라보는데….

보면 뭐 하나… 알면 뭐 하나…
가만히 그 문에 등대고 기대선 채…
그러다…
천천히… 발걸음을 옮기는 그 뒷모습.

2씬   **N, 엘리베이터 안**

수현의 쓸쓸한 눈동자…
엘리베이터 문에 비치는 위로 주마등처럼 스쳐 가는….

플래시백

수호   이건 정말 기억에도 없을 만큼 아무것도 아냐, 다 지난 일이야. (4화 20씬)

3씬   **N, 호텔 주차장**

걸어오는 수현의 얼굴 위로 계속.

플래시백

혜금   많이 가르쳐 주시고 또 챙겨 주셔서 고마워요.
           그 마음의 빚, 살면서 꼭 한번은 갚을게요. (4화 17씬)

수현, 가방에서 키 꺼내 드는데, 힘 탁 풀리며 놓치는 가방.
쏟아지는 물건들.
미세하게 떨리는 손으로 하나 둘씩 담담하게 챙겨드는 위로….

수호 e   앞으로 살면서 두 번 다시 당신 실망시키는 일 없어. 진심이야. (4화 20씬)

저기⋯ 바닥에 나뒹구는 남편의 불륜 사진을⋯
바라보는 수현의 눈빛에서⋯
블랙아웃!

타이틀 <원더풀 월드>

4씬   **N, 성당 (보육 시설) 외경**
멀리서 보이는 성당.

cut to   성당 (보육 시설) 사무실
사무실 한쪽에 앉아 있는 선율.
원장 수녀, '보호 종료 아동 자료'라고 적힌 파일에서 사진 한 장 꺼내 건네며.

원장   여기 있네요.

받아 드는 선율.

원장   이곳을 떠나기 전 마지막 사진이에요.

아이들 속, 민혁(20살)의 얼굴 클로즈업.
바라보는 선율의 눈빛.

| 5씬 | **N, 성당 (보육 시설) 주차장** |

선율, 수진과 통화하면서 오토바이에 올라타는 위로.

| 선율 | 더 나온 거 있어? |

| 6씬 | **N, 터프팅 공방** |

한쪽에 커튼(칸막이) 쳐 놓고,
컴퓨터 2~3대 놓여 있는 책상 앞에 수진이 펜으로 머리를 틀어 올린 채 두드
리며.

| 수진 | (블루투스 이어폰으로) 얘는 병원도 안 가나 봐. 의료 보험 기록도 안 나와. 현재
거주지도 불명확해. |

cut to　성당 (보육 시설) 주차장 / 터프팅 공방 (통화)

| 선율 | (생각하다) 전과 기록 좀 뒤져 봐. |
| 수진 | 야, 나 너무 부려 먹는다~
(그러면서도 좋아서) 뭐 그래도 우리 자기가 시키면 해야지,
치맥 쏴라~? |

선율, 전화 끊고는, 헬멧을 쓰고 오토바이 출발하는데.

| 7씬 | **N, 성당 (보육 시설) 앞** |

막 빠져나오는 선율의 오토바이.

기다리고 서 있던 검은 세단 두 대, 동시에 출발하며 쫓아가고.

8씬   N, 도로

달리던 선율, 미러 속, 쫓아오는 두 대의 검은 세단을 감지했고.
'미행당하고 있구나.'

갑자기 속도를 확 내는 선율.
검은 세단도 함께 속도를 확 내며 카체이싱 시작.

INS   *두 대의 검은 세단 차량 번호*

그 와중에도 차량 번호를 확인하는 선율의 눈빛.
터널로 들어가는 선율의 오토바이.
묘기를 하듯 속도를 높이며 질주하는 선율의 눈동자.

아슬아슬하게 장애물을 뛰어넘으며 사라짐과 동시에,
뒤따라오던 세단들, 스키드 마크 내며 '끼이익!' 빗겨 멈추어 서고.

cut to   도로

선율, 완벽하게 따돌리고서 유유히 달리며 어딘가로 전화 걸고.

9씬   N, 홍어집 식당 앞

식당 안으로 등산복 차림의 김준과 경선했던 의원들 모습 보이고.
각자의 보좌관들 여기저기 대기하는 가운데,

김준의 비서관, 울리는 폰 확인하며 조용한 쪽으로 가서 받는데.

cut to   도로 / 홍어집 앞 (교차 / 통화)

선율   (달리며) 12가1234, 89마7890, 꼬리 붙었어요. (끊고)

비서관, 끊자마자 어딘가로 문자 보내는 손.

['12가1234, 89마7890', '추적 요망']

10씬   **N, 지대 높은 곳, 수현의 차 안**

수현, 저 아래, 아파트촌에서 내뿜는 불빛들을 바라본다…
어떤 불빛 속에서는 모여 앉아 식사하는 가족들도 보이고.
또 어떤 불빛 속에서는, 베란다에서 빨래 널고 있는 모습도 보이고….

삶이 존재하는 곳을 꺼져 가는 눈동자로 멍하니 바라보던 수현,
그제야…
천천히 휴대폰으로 문자를 전송하는 손.

11씬   **N, 호텔 701호 안**

'띠링' 문자 수신음과 함께 휴대폰을 확인하는 수호.
순간, 얼어붙고.

[당신… 지금 누구랑 있는지 알아….]

12씬	**N, 호텔 복도**
	벌컥 열리는 701호.
	수호, 얼어붙은 채 나와 둘러보는데 텅 빈 복도.
	당장이라도 뛰쳐나가려는 등 뒤로.

혜금 e	(놀라) 수호 씨?

소리에 멈칫.
문 사이로 모습을 드러내는 혜금.

혜금	(이상하게 쳐다보며) 왜 그래요?

수호, '이를 어쩌면 좋나.' 불안한 눈빛에서.

13씬	**N, 수현의 집 앞**
	'끼익!' 급히 멈춰 서는 수호의 차.
	수호, 다급히 안으로 뛰어 들어가고.

14씬	**N, 수현의 집 안**
	여기저기 방문을 열어젖히는 수호.
	어디에도 수현의 모습 보이지 않고.
	계속 수현에게 전화 걸지만 받지 않는…
	불안하게 흔들리는 수호의 눈동자.

15씬	**N, 지대 높은 곳, 수현의 차 안**

아파트 불빛들, 하나 둘씩, 여기 저기 꺼지기 시작하고…
드디어…
수현, 시동을 걸고.

16씬	**N, 수현의 집 앞**

들어오는 수현의 차.
수현, 막 차에서 내려서는데, 주차된 수호의 차가 보이고.
올려다보면 집에 불이 켜져 있다.

맞은편에도 주차된 혜금의 차. 역시 불 켜진 혜금의 거실.
잠시 서 있던 수현.
집으로 들어가려던 발걸음, 그대로 돌려 혜금의 집으로.

e	딩동.

17씬	**N, 혜금의 집, 대문 앞**

초인종을 누르는 수현의 눈동자.

18씬	**N, 혜금의 집, 거실**

혜금, 인터폰으로 보이는 수현의 얼굴에 긴장되고.

(디졸브)

그렇게 마주 앉은 두 사람.

혜금   (불안하게 살피며) 이 시간에… 어쩐… 일이세요?

수현   (O.L) 희재 엄마.

혜금   (움찔) 네?

수현   희재는요.

혜금   아, 자고… 있어요.

수현   (서늘한…) 아까 내 남편이랑 호텔엔 왜 갔어요?

혜금   (갑자기 훅 들어오는 멘트에 얼어붙고)

수현, 차분하게 그 앞으로 내미는 불륜 사진.

수현   (사진 가리키며) 혹시 당신이에요?

혜금의 눈빛, 요동치고.
수현, 그 모습을 담담하게 지켜보는데.

혜금   (흔들리는…) 미안해요, 건우 엄마….

수현   (맞구나…)

혜금   (다급) 그치만 건우 엄마 없었을 때 일이에요. 건우 묘원에서 몇 번 만났고 볼 때마다 마음이 쓰여서, 위로에서 멈췄어야 했는데.

수현   (말 탁 끊고) 묻는 말에만 대답해요.

혜금   (움찔)

수현   당신이 보냈어요?

혜금   (얼른) 아니요! 맹세코 저 아니에요! 오늘 만난 것도 이거 제가 보냈냐고… (고개 떨구고) 상처 줘서 미안해요….

수현, 더는 듣고 싶지 않고, 그렇게 자리에서 일어나는데.

혜금   (매달리듯) 건우 엄마!

수현   (무섭게) 더 이상.

혜금을 눌러보는 수현의 눈빛. 참는 덴 여기까지다.

수현   그 입에 건우 이름 올리지 마요.

그렇게 나가는 수현의 뒷모습에… 덜덜 떨며 앉아 있는 혜금의 눈동자.

19씬   **N, 수현의 집, 거실**
머리를 감싼 채 괴로워하며 앉아 있던 수호,
그때, 들어오는 수현의 모습에.

수호   (벌떡 일어나며) 수현아!

수현, 그런 수호를 복잡한 눈빛으로 눌러보다가
꾹 참고 그대로 방으로 들어가 버리면.

수호   (괴롭고…)

20씬   **N, 부부의 방**
수현, 가방 내려놓고. 그 뒤로 수호, 따라 들어와서는.

수호	(진심으로) 미안해….
수현	(참는…)
수호	저번에 앞집 여자라고 말 못 한 건, 행여 다 끝난 일에 당신 잃을까 봐.
수현	(간신히) 희재 엄마는 아니지 않아?
수호	(…)
수현	아무리 위로 받고 싶었어도 그건 아니지.
수호	수현아.
수현	(O.L) 그래, 백번 양보해서 내가 어쩌겠어. 나 없었을 때 그랬다는데. 근데…! 왜 엄마까지 그 사진을 보게 해.

수호, 순간 심장이 쿵….

수호	어…머니… 한테도 갔어…?
수현	(꾹 참는…)

수호, 창피하고 민망하고… 또 참담한….

수호	정말 면목 없다. 근데, 이거 분명 누군가 악감정 갖고 이러는 거야. 내가 무슨 수를 써서라도 그놈 찾아낼게! 내가 해결할게.

수현, 더는 한마디도 듣고 싶지 않고.

수현	당분간, 엄마 집에 좀 가 있을게.
수호	(다급) 수현아. (잡으려는데)

지금은 내 몸에 손대는 것도 싫고, 움츠러들며 피하는 수현.

수호… 그 마음이 느껴져서 잡으려던 손… 내리고….

수현   엄마 옆에 좀 있어 주고 싶어. 엄마도 많이 놀랐을 거야.

도로 가방 들고 나가 버리는 수현을… 붙잡지도 못하겠고….

21씬   **N, 수현의 집, 대문 앞**
출발하는 수현의 차를 따라가다가 멈추어 서는 수호.
처참한 심정이다.

22씬   **N, 수현의 집, 거실**
'쾅!' 닫히는 현관과 함께 들어서는 수호, 그제야.

수호   (참았던 증오심 폭발하며) 도대체 어떤 새끼가!

23씬   **N, 홍어집**
화면 가득 김준의 호탕한 웃음.

김준   오늘 하루 같이 산도 오르고 땀도 흘리니 인쟈 한 배 탄 사람들 같습니다.
최주석   (눈치 빠르게) 제 말이 그 말입니다!
대한민국이라는 바다를 항해할 선장님을 위해 잔 드십시다!
김준   이 김주이가 운전 한번 잘~ 해 보겠습니다~
(여유롭게 잔 들더니) 우리 당과! 국가의 발전을 위하여!

의원들	(부딪혀 주고) 위하여!!
최주석	(가장 크게) 김준 의원님을 위하여!

24씬　　　　**N, 홍어집 화장실**

최주석, 얼큰하게 취한 채 바지춤 잡고 들어가며,

"(흥얼대는) 딸랑 딸랑 딸랑~ 딸랑 딸랑 딸랑~"

벌개진 얼굴로 소변 보는 최주석.

그 뒤로 누군가 따라 들어와 '딸깍' 문 잠그고.

최주석, 지퍼 올리며 돌아서다가 눈앞에 나타난 김준의 비서관을 보고.

최주석	깜짝아! (지퍼 마저 올리며) 남자 화장실에서 뭐 하는 거야!
비서관	(서늘) 1234, 7890
최주석	(움찔)
비서관	우리 애 왜 쫓아다닙니까.
최주석	뭔, 뭔 소리야?

비서관, 휴대폰 쓱 내밀면.

INS　　　*선율에게 사진 찍혔던 마약 파티하던 최주석 얼굴. (3화 20씬)*

최주석	(얼굴 붉어지고) 너 이씨!
비서관	이거 버튼 하나만 누르면 국내 언론사들에 쫙 퍼질 텐데.
최주석	(이씨… 쭈그러드는…)
비서관	한번만 더 우리 애 귀찮게 하면, (낮게) 다.쳐.요.

25씬　　　　**N, 폐차장**

선율, 미행을 잘 따돌리고는 막 오토바이 시동 끄는데…
천천히 올려다보는 하늘에… 유난히 반짝이는 별.
한참을 멍하니 보는 선율의 옆얼굴….

26씬　　　　**N, 폐차장 사무실**

선율, 들어와 어둠 속, 작은 스탠드 켜고.
냉장고 여는데 먹을 거라고는 달랑 생수뿐.
그거라도 꺼내서 털썩 주저앉아 고픈 배를 채우는데…
문득 저만치 형자의 일기장에 시선… 그 위로.

플래시백　수현, 용기 내어 일기장을 내밀던 그 첫 만남 때 얼굴.
(3화 22씬)

선율, 털어 내려는 듯 TV 틀고 보는데 눈에 안 들어오고.
복잡한 감정들이 흐르는 선율의 눈동자…
계속 채널 이리 저리 바꾸다가 기어이 꺼 버리고.

그대로 사무실에 달린 화장실 안으로 들어가 버리면,
들리는 물소리 위로….

화면에는 일기장. (c.u)

27씬　　　　**N, 고은의 집 동네, 과일 가게 앞**

한쪽에 세워져 있는 수현의 차.

수현, 과일을 고르고…
주인이 포장하는 걸 무심히 바라보는….

28씬　　**N, 고은의 집, 거실**

수현, 애써 아무렇지 않게 들어서며.

수현　　　엄마~

(디졸브)

수현이 사 온 과일을 앞에 두고,
수현과 고은, 서로 건네도 주고, 입에 넣어 주기도 하고.
수현, 잠시 고은을 보는데,
'엄마, 나 며칠만 엄마랑 같이 있을게….'라는 소리를 하려고.

수현　　　엄마.
고은　　　(그 마음 다 읽고…) 엄마랑 며칠 있을래?
수현　　　(엄만 이미 내 맘을 다 아는구나…) … 그래요.

그렇게 잠시 고은을 바라보는데…
정류장에서 울던 엄마의 모습이 떠오르고….

수현　　　그 사진 보낸 사람… 내가 찾을 테니까 엄만 신경 쓰지 마요.

고은	(그런 수현을 보다가… 손잡아 주고는) 우리, 그냥 휘둘리지 말자.
수현	(보면)
고은	누가 보냈는지 알면 뭐 할 거야, 괜히 그런 거에 휘둘려서 상처 받으면 누구 좋으라고? 그게 바로 그 인간이 원하는 거야.
수현	(…)
고은	나도 신경 안 쓸 테니까 너도 신경 쓰지 마. 이럴 때일수록 밥 잘 먹고 잠 잘 자고 더 정신 바짝 차리고 살면 돼. 별일 아니야. 수현아.
수현	(먹먹해지는…)
고은	(언제나 그랬듯 힘을 주며) 별일 아니야.

수현, 그 말에 천천히 끄덕이고….

(시간 경과, 깊은 밤)

불 꺼진 고은의 거실.

29씬 **N. 고은의 집, 작은 방**

수현, 잠 못 이룬 채 앉아 있는 얼굴 위로 점점 더 짙게 깔리는 어둠.
고은에게 보낸 남편의 불륜 사진을 내려다보다가…
'그래… 엄마 말대로 휘둘릴 거 없어.'
그렇게 찢어서 쓰레기통에 버리는 수현의 눈빛에서. (F.O)

30씬 **(F.I) D, 도로, 수호의 차 안**

수호, 어딘가로 급히 운전하는… 그 위로.

회상

수현   왜 엄마까지 그 사진을 보게 해!

'끽-' 멈추고 서늘하게 올려다보는 곳, 세운상가 같은 느낌의 건물.

30씬   **D, 건물 안, 낡은 금은방**
벽에 걸린 사진들.
이한상(50대, 형사), 패, 공로상 등이 진열되어 있고.
한상이 범인을 호송차에 태우는 사진이 실린 신문 기사에,
<오평 연쇄살인범 결국 검거한 이한상 형사의 집념>
글 가장 아래에는 '사회부 강수호 기자' 보이고.
한쪽에 한상과 수호가 함께 찍은 사진.

주욱 훑어보던 수호.
그 뒤에서, 한상이 골무 낀 손으로 시계 뒤판 열어 청소 중이고.

한상   크라운 마모도 없고, 녹도 없고, 방수 링만 바꿨어.
수호   이제 제법 여기 주인 같네, 이 형사님?
한상   형사는 무슨. 잘린 지가 언젠데. (힐끔) 용건 있어 온 얼굴인데?

수호, 잠시 눌러보다가, USB 건네고.

수호   사람 좀 찾자. 누가 내 와이프한테 이상한 사진을 보냈어.
한상   사진?

수호, 좀 그렇지만 사진 건네면, 한상 확인하다가 흠칫. 수호를 보면.

수호 (사진 도로 챙기며) 옛날 일이야.

한상 (갸웃) 그럼 널 옛날부터 계속 지켜봤단 소린데, (순간 회로가 확 돌며) 이거, 혹시?
우리 옷 벗겼던 김준, 그 새끼냐?

수호 (눈빛) 찾아보면 알겠지, 다른 사람은 못 믿겠어. 형 말고는.

32씬 **D, 방송국 복도**
굳은 눈빛의 수호, 걸어오는데.

플래시백 (2화 28씬)

김준 (눈빛) 보이소, 그날입니다.

김준 이걸 만약 은수현 씨가 보면 우찌될까요. 버텨 낼 수 있을까요.

어쩐지 좀 불안해지는 수호의 눈빛. 그때 울리는 휴대폰.

수호 네. 사장님. (순간 서늘해지는 눈빛) 누구요?

33씬 **D, 방송국 사장실**
수호, 비서의 안내를 받으며 들어서고.

사장 (손짓하며) 어! 왔어? 강 국장!

천천히 다가오는 수호의 눈에…
사장과 마주 앉아 차를 마시는 뒷모습, 김준이다.

김준   (반갑고) 아이고. 이기 얼마마입니까!

악수를 청하는 손.
수호, 감정을 드러내지 않으며 그 손을 맞잡고는.

수호   (눈빛) 오랜만입니다,
사장   오찬 끝내시고 강 국장 보려고 들르셨어.
김준   방송 잘 봤십니다. 아내분하고는 여전히 참~ 보기 좋습디다?
수호   (미소 굳어지고)
사장   안 그래도 반응이 장난이 아닙니다. 언제 우리 강 국장 뉴스 초대석에도 한
         번 나와 주셔야죠?
김준   (수호를 바라보며 비릿한 미소) 뭐 기회가 있지 않겠십니까.
수호   (팽팽한 눈빛)

34씬   **D, 방송국, 엘리베이터 앞**
         나란히 선 김준과 수호. 그 뒤에 서 있는 보좌관.

수호   (정면 응시한 채) 얼마 전에 아내가 출처 없는 선물을 하나 받았습니다. 혹시, 의
         원님께서 보내셨습니까.
김준   (미소) 내가 보낸 걸로 생각하는 거 보이, 꽤 값비싼 물건인가 봅니다?
수호   (말을 흐리시겠다?) 뭐 답변 듣자고 한 말 아닙니다. 그쪽이 보냈든 안 보냈든 그
         끝에 의원님이 계시면 더 비싼 값을 치르셔야 할 테니까요.

'띵', 그때, 도착한 엘리베이터 문 열리고.

올라타는 김준과 그대로 서 있는 수호.

천천히 닫히는 문 사이로 끝까지 마주 보는 두 사람.

35씬　　**D, 방송국 주차장, 김준의 세단**

비서관이 열어 주는 뒷좌석에 올라타는 김준. 잠시 생각하다가.

김준　　(비웃음) 강수호 요거 재밌네. (보좌관에게) 잘 지키봐라.

흥미롭게 방송국을 올려다보는 눈빛.

36씬　　**D, 고은의 집**

수현, 생각을 털어 내려는 듯 부산하게 집 구석 구석 청소하는….

욕실 바닥을 락스로 청소하고.

화분에 물을 주고.

커튼을 뜯어 빨고.

빨래를 널면서도 머릿속으로는 계속 생각을 멈추지 않고.

덮어야 하는데 계속 마음 한구석에 걸리는 무언가, 그때.

e　　딩동.

소리에 자신도 모르게 '흠칫!' 놀라는 수현.

37씬	D. 고은의 집 대문

수현	누구세요?

대답 없고…
좀 긴장한 채로 경계하며 천천히 문을 여는데…
아무도 없다.

순간, 저 멀리 골목으로 누군가 쓱 사라지는 느낌.

그냥 누가 잘못 눌렀을 수도 있는 건데…
별 의미 없는 것들이 수현의 눈에 어딘지 다 수상한.

모자 쓰고 지나가는 학생도, 봉투 들고 지나가는 여자도,
무심히 힐끔 수현을 보고 지나가는 남자도,
수현, 더는 안 되겠다.

38씬	D. 고은의 집, 작은 방

쓰레기통을 도로 붓는 수현 앞으로 쏟아지는 사진 조각들.

컷 튀면.

수현, 찢어진 <남편의 불륜 사진> 조각들을 다시 붙이며,
그 사이사이 차분하고도 서늘한 눈빛으로 시작하는 프로파일링.

수현 e	이 사진을 누가 보냈을까.

그 짧은 순간에 떠오르는 오만가지 생각들.

플래시백

혜금	맹세코 저 아니에요! (18씬) (cut)

명희	나는, 아직도 네가 끔찍해. (3화 34씬) (cut)

유리	사귀고 싶어도 눈에 차는 남자가 있어야 말이지, 좀 괜찮다 싶으면 누가 다 채 갔고~ (3화 40씬) (cut)

방송 날, 수호와 눈 마주쳤던 모든 여자 스태프들까지 어지럽게 컷컷컷!

수현 e	아니야!

cut to 고은의 집, 주방
수현, 물 한잔 들이키고는 숨을 고르며 마음을 가다듬고.

cut to 고은의 집, 작은 방
그렇게 다시, 컴퓨터를 켜고 시작하는 수현의 브레인스토밍.

플래시백 대기실 앞
수현의 가방에 올려졌던 봉투. 수현, 뛰쳐나오는데 사라지는 누군가. (4회 3씬)

수현 e   왜 그 사진을 나한테 줬을까.

플래시백   욕실 (4화 5씬)
헛구역질하던 수현, 사진을 보는데 2017. 12. 24. (날짜 (c.u))

수현 e   그것도 몇 년 전 사진을, 교도소에 있었을 때가 아니라 왜 지금?

플래시백   방송 출연하며 웃던 수호. (3화 42씬)

수현 e   돈이 목적은 아냐.
그랬으면 여자 얼굴이 나온 사진으로 수호 씨를 협박했겠지.
그렇다면?

플래시백   수호가 시계를 채워 주며 다시 프로포즈하던. (3화 35씬)

수현   우릴 괴롭히고 싶었던 걸까.

답을 찾으려 거기까지 생각이 다다른 채…
붙여 놓은 불륜 사진을 바라보는 그때, '띠링' 문자 수신음.
확인하면.

아무것도 없이 밥 이모티콘만 덜렁.
선율이다.
그리고 보니 형자 언니 대신 내가 챙겨 줘야 할 아이…
내 삶이 시끄러운 바람에…
수현, 잠시 생각하다… 전화 걸고는.

수현	어디니.

39씬　　**D, 폐차장**

선율, 작업복 차림으로 막 일 끝나고 얼굴을 씻어 내며 고개 드는데,
양손에 도시락 사 갖고 들어오는 수현.
그런 수현을 무심히 바라보는 선율.

40씬　　**D, 폐차장 사무실**

수현, 도시락을 앞에 두고 기다리는데
화장실에서 옷 갈아입고 나오는 선율.

선율	(괜히) 한가한가 보네요, 여기까지 와 주고.
수현	(그 말을 '고맙습니다…' 로 받아 주며) 너 바쁜데 내가 이 정도는 해 줘야지.
선율	(보면)
수현	먹자.

수현, 도시락 뚜껑 열어 주면,
선율도 그 앞에 툭 앉고는 먹기 시작하는데…
잠시 그런 선율을 찬찬히 보는 수현.
그러고 보니 이 아이에 대해 별로 아는 게 없다 싶고.

수현	폐차장에서 일한지는 오래됐어?
선율	(심드렁) 네, 뭐, 아는 형이 하는 데라.
수현	일은 할 만하고?

선율	그냥, 여긴 다 끝나는 곳이라 좋아요.
수현	(이렇게 젊은 애가…)
선율	그쪽은 일 안 해요?
수현	글쎄… 뭔가를 하고 싶다는 게 어떤 거였는지 기억이 잘 안 나네.
선율	(…)
수현	(문득) 넌 다른 친척은 안 계시니?
선율	가족이라고 부를 만한 사람 없어요.
수현	(좀 짠한…) 보통 밥은 어떻게 챙겨 먹어?

선율, 대충 턱짓으로 뒤 가리키면, 컵라면 박스.
한쪽에 빈 컵라면 용기 쌓여 있는…

| 선율 | (시니컬하게 쳐다보며) 왜요, 나 불쌍하나. |

수현, 그런 선율을 잠시 바라보다가….

| 수현 | 아니. 네 나이 땐 라면 많이 먹어도 돼. 나도 그 나이 땐 엄청 먹었어. |

'어, 불쌍해…'라고 할 줄 알았는데, 엉뚱한 대답에 선율, 낮은 피식.

| 수현 | (짠한 마음 숨기며) 그래도 라면 질리면 연락해.
내가 진짜 된장찌개 잘 끓이는 장인을 알거든. |
| 선율 | (본다…) |

수현, 그래 놓고는 무심히 먹는….

(시간 경과)

사무실 창밖으로 보이는…
선율이 조폭 분위기의 남자들과 대화하는 걸 지켜보는 수현.

컷 튀면.

선율, 얼른 들어와 커피 한 잔 만들어 건네주고.

선율	드세요.

건네는 선율의 손등에 상처를 봤고.
얘가 좋지 않은 사람들하고 어울리는 느낌에….

수현	(커피 받으며…) 너 왜 이렇게 많이 다쳐?
선율	(보면)
수현	맨 처음 봤을 때도 그렇고… 왜 그리 상처가 많아?
선율	(뼈 있는) 어떤 상처요?
수현	(그 말에 바라보고…)
선율	(괜히 말 돌리며) 저 이거 말고도 하는 알바가 있어요.
수현	그 알바가 위험하구나.
선율	원래 그런 게 돈이 되거든요.
수현	(…)
선율	(자조적) 그럼, 내가 어떻게 살았을 거 같아요?
수현	(이 아이가 걱정 되고…) 돈도 좋지만, 위험한 일은 가려서 해.
	넌 안 아프니….

선율, 대답 대신, 수현의 손등을 바라보다가….

선율   거긴 왜 그랬어요?

선율의 시선을 따라 수현도 자신의 손등 흉터를 내려다보는데…
재봉틀에 빨려 들어갔던 자국….

수현   그냥 좀 다쳤어….
선율   그래서, 아팠어요?

수현, 그 질문에 선율을 바라보다가….

수현   (건우를 생각하며…) 아니, 이런 건 안 아프더라.
선율   (부모를 생각하며…) 나도 그래요. 이런 건 안 아파요.

같은 아픔의 크기를 가진… 그렇게 잠시 서로를 바라보는 두 사람.

41씬   **D, 폐차장 사무실 앞**

나와서는 수현, 그 뒤를 따라 나오며 배웅하는 선율.

선율   (툭 던지듯) 사진은 해결됐어요?
수현   (갑자기 사진 얘기는 왜 하나 싶어 보면)
선율   디카 말고 필카로 찍은 거 보면 흥신소 사람은 아니에요.
수현   (그러고 보니…) 넌 어떻게 사진만 보고도 잘 알아?
선율   부업으로 이 일 저 일 하니까. 사람 찾는 일도 하고.

(의미심장한 눈빛으로) 내가 뭐, 알아봐 줘요?

그 소리에 수현, 잠시 선율을 바라보다가…
뭐라도 부탁하려는 듯 가방에서 뭔가 뒤적이고.
기다리는 선율 앞에 수현이 내미는 것, 약 봉투다.

선율   (흠칫)
수현   아무리 안 아파도 그만 좀 다쳐. 널 좀 소중히 여겨.

그렇게 걸어가는 수현의 뒷모습.
선율, 천천히 약 봉투 열어 보는데, 연고와 반창고 등.
수현을 바라보는 선율의 복잡한 눈빛.

42씬   **D, 폐차장 앞**

나가는 수현과 들어오는 수진. 그렇게 스쳐 지나가는 두 사람.
수진, 발걸음 멈추고 수현을 돌아보고… 수현이 사라질 때까지.

43씬   **D, 폐차장 사무실**

수진, 황급히 문 열고 들어오고.
카메라 렌즈를 조작하는 중인 선율을 향해.

수진   (밖을 가리키며 다급) 야, 선율아, 저 여자?!
선율   (복잡한 마음 누른 채) 밥 먹었냐. 저기 도시락 있어.
수진   저 여자가 가져왔어?

선율	응.
수진	헐! 뭐야? 진짜 보호자 노릇 제대로 하네?
선율	(말 돌리며) 알아봤어?
수진	아 맞다!! (으쓱) 너, 크게 쏴야겠다. 이 누나가 으마으마한 걸 갖고 왔거든?

선율, 수진이 턱 내미는 서류를 받아 드는데.

수진	네 말대로 범죄 기록 조회해 보니까 이 새끼 도박 중독이야. 플러스 강도 상해까지. 최근까지도 교도소를 들락거렸는데 도박하는 애들 손은 잘라도 도박은 못 끊거든, 강남에 유명한 불법 홀덤펍 몇 군데 CCTV 털어 보니까 바로 잡히더라.

수진, 휴대폰 보여 주면 홀덤펍 안으로 들어가는 민혁의 얼굴.

수진	애 맞지?
선율	고생했네.
수진	(선율에게 어깨에 팔 툭 걸치고) 너 진짜 나 없으면 어떡할래?
선율	너 없으면 안 되지.
수진	(음흉한 미소로) 그렇게 넘어 가시겠다? 안 돼. 오늘은 몸으로 갚아.

그 위로.

수진 e	(신나서) 꺄아아아아악~

44씬　　　　**N, 한강대교**

선율의 오토바이 뒤에 앉아 환호하는 수진.
선율, 수진의 환호에 좀 웃으며.

선율   (큰 소리로) 그렇게 좋냐.

수진   (좋아서) 어! 심장이 터질 거 같아. 너무 좋아!!
          야! 너, 내 심장 뛰는 거 느껴지냐?

선율, 대답 없이 신나하는 수진을 뒤로한 채 달리는데….

플래시백   (42씬)

수현   아무리 안 아파도 그만 다쳐. 널 소중히 여겨.

수현의 모습을 복기하는 선율.
'내 몸에 상처가 왜 이리 많고 깊은지… 곧 알게 될 거야…'
서늘해지는 선율의 눈빛, 확, 속도를 올리고.
도로를 질주하는 오토바이.
(F.O)

45씬   **(F.I) 수현이 일상을 살아가는 몽타주**
          cut to   D, 고은의 식당
          분주한 점심시간.
          손님들, 삼삼오오 앉아 식사 중인.
          수현, 고은을 도와 서빙도 하고, 계산도 하고, 주문도 받고.
          그러는 와중에도 문득 문득 생각에 잠기는….

cut to   N, 산책로

수현, 고은과 함께 거닐며… 그러는 와중에도 또 한 번씩 떠오르는.

46씬   **D, 고은의 집, 작은 방**

그렇게…

책상 위, 테이프로 붙인 '불륜 사진'을 다시금 차분히 눌러보는 수현.

수현 e   왜 하필 지금일까.

왜 수호 씨한텐 안 보냈지?

우리가 괴롭길 바라나?

그 순간, 뭔가 '띵…' 하며 흔들리는 수현의 눈동자.

플래시백   버스 정류장, 고은을 보며 고통스럽던 수현. (4화 31씬)

수현   (설마) 내가… 괴롭길 바라나?

수현, 그제야.

수현   나를 노린 거였어…!

수현, 테이프로 붙여 놓은 사진을 바라보는데.

수현 e   내가… 괴롭길 바라는 사람.

그러고 보니 사진을 붙이면서 스치듯 눈에 들어왔던.
서서히 사진을 뒤로 돌리면 평범한 뒷면.

하지만 수현의 눈에는 보이는 게 하나 있고.
인화 사이트 홈페이지 주소가 새겨진 저 부분을 뚫어져라.

컴퓨터 검색창에 저 부분에 새겨진 사이트 주소를 입력하는 수현.
'클릭!' 그 순간.

컴퓨터 화면
인화 사이트 홈페이지 대신, 뉴스 기사가 뜨고. (2016년)

수현   (!)

기사 내용
***에서 무단 횡단하던 40대 여성 김모 씨가 달려오던 트럭에 치여 중태. 김
모 씨는 머리 등을 크게 다쳐 인근 병원으로 급히 이송된 것으로 알려졌다.

짧은 뉴스를 읽어 내려가는 수현, '40대 여성 김모 씨' 에 시선.

수현   (!) 이게… 이 사진이랑 무슨 상관이지?

아무래도 안 되겠고.
기사 맨 아래 JJH1134@BluebirdNews 블루버드 뉴스 정진희 기자.

컷 튀면.

여기 저기 전화하는 수현의 모습.

수현   아, 그래요? 어느 신문사로 이직하셨는지 알 수 있을까요. (cut)

수현   안녕하세요. 좀 전에 문의 드렸던, (cut)

수현   문화부에 정진희 기자님 계신가요? (cut)

수첩에는 블루버드 / 정진희 기자 / 미래신문사 / 문화부

그리고, 기자의 이메일 주소로 채워지고.

컴퓨터 화면

이메일 화면에 제목 : [안녕하세요. 정진희 기자님]

빠르게 내용을 타이핑하는 수현의 손.

수현 e   2016년에 쓰셨던 기사에 대해 여쭤볼 게 있어서 연락드립니다.

그렇게 전송 버튼 클릭.

잠시 머리가 아픈 듯 의자에 머리를 기대는데….

e   휴대폰 벨소리.

수현, 액정 확인하는 순간, 난감하고.

수현   (받으며) 네. 어머니.

| 47씬 | D, 백화점 |

명희, 수현을 여기저기 끌고 다니며 옷도 사 주고, 화장품도 사 주고.

명희   (사람 좋은 미소로) 잘 어울린다, 이것도 하자.
수현   (저지하려) 아니.

이미, 계산하는 명희의 모습을 수현, 난감하게 바라보고….

| 48씬 | D, 백화점 안 커피숍 |

수현, 이렇게 사람 많은 한 가운데 앉아 있는 게 정말이지 불편하고.
그런 수현의 마음을 아는지 모르는지 명희는 우아하게 커피 한 모금.
몇몇 사람들, 벌써 수현을 알아보고 수군대는 게 수현도 느껴지고.

여자   (옆 테이블에서 기어이 못 참고) 저 은수현 씨 맞죠?
수현   (어색…)
여자   방송 잘 봤어요. 두 분 너무 보기 좋으시더라고요.
명희   (수현 대신 따스한 미소로) 고맙습니다. 우리 며느리예요.
여자   어머! 저 강수호 씨 팬이에요!
명희   감사해라, 우리 며느리도 많이 예뻐해 주세요.
여자   네! 응원해요!

그렇게 인사와 덕담을 주고받는 사이,
수현, 애써 불편한 마음 숨기고 표정 관리하는… 그때.

명희   (수현을 좋게 눌러보더니 나직이) 친정에 있다며.

수현	(흠칫)
명희	네 엄마 시장 사람들 입이, 좀 빨라야지. 내 귀에도 들어오더라.
수현	…
명희	(나긋나긋) 말이라는 게 참 무서워. 자꾸 살이 붙어.
	이러다 너희 불화설이라도 돌면, 우리 수호 이미지는 뭐가 되니.
	전 국민 앞에서 우리 부부 잘 살아 보겠다고 약속까지 해 놓고.
수현	(차마…)
명희	(따스한 미소와 그렇지 못한 말…) 참고 견디기로 했으면 책임지려는 시늉이라도
	하렴. 나까지 꼭 이렇게 나서서 너랑 사이좋은 척 해야겠니?
수현	…
명희	뭣 땜에 친정에 있는진 묻지 않으마.
	대신, 여기까지만 경솔해다오.
수현	(참는…)
명희	(부드럽게) 수현아?
수현	네….
명희	(나직이 미소로…) 표정 관리 해.

수현, 사람들 앞에 끌려 나와 좋은 고부 관계를 연출하는 이 상황에… 묵묵
히 장단 맞춰 주며… 애써 표정 관리하는….

49씬   **N, 고은의 식당**

고은, 문자 보내는 위로.

고은 e	엄마 지금 상인회 사람들이랑 회식 하느라고 오늘 늦어.
	혼자서 좀 푹 쉬어라. 우리 딸.

그렇게 문자 보내고는 휴대폰 내려놓는데…
텅 빈 식당에 혼자 앉아 마저 마늘을 까는 고은…
실은… 혼자 있고 싶을 수현의 마음을 헤아리며….

50씬　　**N, 고은의 집, 거실**

수현, 쇼핑백을 들고 들어서고… 고은이 보낸 문자를 확인하는데.

고은 e　　엄마 지금 상인회 사람들이랑 회식 하느라고 오늘 늦어.
　　　　　혼자서 좀 푹 쉬어라. 우리 딸.

그렇게 수현, 작은 방으로 들어가는.

51씬　　**N, 고은의 집, 작은 방**

수현, 가방과 쇼핑백을 내려놓고…
가만히 침대에 오르며 쪼그리고 누워 등 돌리는데…
'휴우…' 이제야 좀 살 거 같은…
조용한….

그제야…
나직이 들리는 수현의 숨죽인 흐느낌…
아무렇지 않게 일상을 살아 내고 얘기하고 숨 쉬고…
그러는 것처럼 보였지만
실은… 아무 때나 언제나 불쑥… 목구멍까지 차오르는 슬픔….

수현의 처연한 숨죽인 흐느낌….

그때였다.
문 열리며 들어오는 사람. 유리다.
놀란 채, 흐느끼는 수현을 일으키는데….

유리   (수현의 눈물에 자신도 벌써 눈물이 차오르며) 언니…?

수현   (울음 참고…)

유리   왜 그래…?

수현   (입술 꾸욱…)

유리   (울먹) 왜 그러는데…?

52씬   **N, 수현의 집 앞**

막 도착하는 수호의 차.
수호, 수현이 없는 빈집을 올려다보는데… 들어가기 싫다…
그 등 뒤로.

e   수호 씨.

돌아보는데 서 있는 유리. 눈물이 가득찬 채.

유리   언니가 울어요.

그 말에 수호, 가슴이 아프고… 돌아서는 위로.

유리	잘 살겠다며…! 사람들 앞에서 약속했잖아!
	(울컥) 앞집 여자라고요…?!

수호, 그제야 발걸음 멈추고 돌아서는데.

유리	(우리) 이러면 안 되는 거잖아요!
	(흐느끼는) 도대체 무슨 생각으로 이러는 건데?!
	이럴 거면 언니한테 돌아오지 말았어야지!! (와 동시에)
수호	(참았던 감정이 폭발하듯) 나도 두렵다고! 나도 수현이 잃을까 봐 겁난다고! (가려
	다 유리를 돌아보고) 나도 다 지워 버리고 싶어.

수호, 그대로 들어가며 대문 쾅.
유리, 원망스럽게 쏘아보는….

53씬	**N, 혜금의 집, 거실**
	혜금도 두렵게 그들을 내려다보다가 커튼 확 쳐 버리며.
	(F.O)

54씬	**(F.I) D, 고은의 식당**
	(점심시간)
	마지막 손님까지 다 나가고…
	수현, 테이블 닦으며 정리하는데.

고은	(주방에서 쟁반 들고 나오며) 우리도 점심 먹자.

(디졸브)

함께 늦점심을 먹는 두 사람.
고은, 잠시 수현을 바라보다가….

고은   (조심스레) 수현아… 다시… 일해 보고 싶은 마음은 없어?

수현   (보면)

고은   유리가 그러는데 너 예전에 일하던 대학에서 너한테 특강 제의도 왔다더라.
사람들 앞에 서는 게 그러면 책을 또 써도 되고.

수현   (좋게) 나 이러고 있는 거 별로야, 엄마?

고은   (농담 반, 진심 반) 어, 우리 딸이 아까워서. 꼭 대학이 아니면 어때. 애들도 가르
치고 책도 쓰고. 그럴 때 엄만 너 멋있더라. 그러니까 너 하고 싶은 거 해. 엄
마는 항상 네 편이야. 엄마가 팍팍 밀어줄게!

수현   (그 소리에 조금 웃기도… 마음이 좀 푸근해지는…)

고은   (따스하게) 먹어. 어여.

그렇게 다시 식사하는데, 카운터 쪽에 둔 수현의 휴대폰 울리고.

수현   (액정 보는데 모르는 번호…) 누구지? (받으며) 여보세요.

순간, 수현, 흠칫. 눈 커지는데.

55씬   **D, 카페**

테이블 위에 커피 두 잔 놓여 있고.
수현과 마주 앉은 여자, 수현에게 명함 건네는데 '정진희 기자'.

기자	이렇게 뵐 줄은 몰랐네요. 기회가 되면 은수현 씨랑 꼭 인터뷰하고 싶었어요.
수현	… 저번에 메일로 문의 드렸던 사고에 대해서 좀 알고 싶어서 연락드렸어요. 무단 횡단하다가 트럭에 치였다는 그 여자요.
기자	안 그래도 은수현 씨가 그 여자를 궁금해 하시길래 좀 놀랐어요.
수현	(갸웃) 네?
기자	그거 꼭, 아셔야겠어요?
수현	무슨 말씀이시죠?
기자	그냥 모르시는 게 나으실 텐데.
수현	(분명 뭔가 있구나…) 혹시, 저와 무슨 관련이 있나요?

56씬   **D, 카페 앞**

수현, 다급하게 나와 서는데 멘붕인 채… 요동치는 눈동자.

수현 e	(떨리는) 어느 병원으로 이송됐었는지 기억나세요?

간신히 정신 차리고는… 전화 거는데.

57씬   **D, 간호사 스테이션**

태호, 차트 보며 간호사들과 농담 주고받으면서 웃고 있는데 울리는 전화. 확인하고 얼른 받으며.

태호	(반가워서) 네 형수님! (듣더니) 무슨 부탁인데요? 아… 잠시만요. (황급히 적을 거 필요하다는 손짓에 간호사 급히 메모지와 펜 건네면) 누구라고요. (받아 적더니) 네, 알겠어요.

끓는데 동시에.

간호사	(급히 달려오며) 선생님! 어제 중환자실에서 올라온 이정우 환자 지금 어레스트 왔답니다!

태호, 황급히 뛰어가면… 남겨진 메모지 클로즈업.
'김 은 민'

58씬　　　**D. 폐차장**
용구, 작업을 마치고 손 털고는 사무실로.

59씬　　　**D. 폐차장 사무실**
텅 빈.

용구	(갸웃) 어? 얘 어디 갔어?

창밖을 둘러보면, 저기 세워진 선율의 오토바이.
혹시나 벽에 걸어놓은 차 키들을 보는데 선율의 차 키가 없다.

용구	이 자식 웬일로 차를 끌고 나갔지? (쓰읍) 설마 여자 만나나?

60씬　　　**D. 홀덤펍**
햇빛이 안 들어오게 꼼꼼하게 테이핑 된 창문.

대낮에도 어두운 내부.

4~5개의 홀덤 테이블에 사람들이 앉아 게임 중이다.

가드가 열어 주는 문으로 들어서는 선율, 적당한 테이블에 앉으면,

딜러가 새로운 카드를 까서 셔플하는 모습.

선율, 손으로 칩 굴리며 시선은 차분히 민혁을 찾는, 그때.

제일 안 쪽 테이블에서 '쿠당탕!' 뭔가 시끄러운 소리.

갑작스런 소란에 가드들 전부 안쪽 테이블로 달려가고.

게임하던 사람들도 일제히 소란이 일어난 곳 쳐다보는데

선율만 칩 굴리며 무심한 표정.

실장   (걸어오며) 하~ 놔, 저 새끼가 또!

가드에게 양팔 붙잡혀 끌려 나오는 사람, 민혁이고.

선율, 민혁의 얼굴을 보는 눈빛 위로.

플래시백   보육 시설에서 봤던 사진 속 민혁의 얼굴. (4씬)

'너구나…' 쳐다보는 선율의 눈빛 위로.

민혁   (몸부림치며) 내가 안 했다니까 씨! 딜러 저 새끼가 장난친 거야!

실장   (동시에 민혁 얼굴에 주먹을 날리며) 내가 너 여기 오지 말랬지. 이 거지 새끼야.

민혁, 실실 쪼개다 피 섞인 침 '퉤!' 실장 얼굴에 뱉으면,

실장, 눈 뒤집힌 채 이번에는 민혁의 명치에 주먹 날리고
민혁 '흡!' 손님들, 웅성웅성.
실장, "사무실로 데려가!!"
가드, 민혁을 끌고 가고, 그때.

선율, 시계 확인하더니, 자리에서 일어나고.
딜러 카드 뒤집다가 멈칫. '이제 게임 시작했는데?' 하는 눈빛에.

선율   (카드 내려놓고) 폴드.

그렇게 끌려가는 민혁의 어깨를 잡으면,
민혁, '움찔!' / 가드, "너 뭐야?"
동시에 '쾅!' 하고 열리는 문. 가드 몇 명 급하게 들어와.

가드   단속 떴습니다!!

그 말에 손님들 비명 지르며 우왕좌왕.
계단을 올라오는 경찰들 소리.
순간, 그 틈을 타 민혁, 뿌리치고.
창문을 향해 의자를 던지는 민혁.
와장창 깨지는 유리창.
누가 잡을 새도 없이 깨진 창문 틈으로 뛰어 내리는데,
칼날처럼 붙어 있던 두꺼운 유리 조각에 옆구리가 싹 베이는.

선율, 한숨 푹 쉬더니, 망설임 없이 창문으로 같이 뛰어 내리는.

61씬	**D, 건물 뒷골목**

민혁, 2층 높이에서 떨어진 채 땅바닥에 구르는데,

깨진 유리 조각에 베여 피가 나는 옆구리.

그 옆으로, 선율, 제대로 착지해서 구르고 있는 민혁을 일으켜 앉히면, 민혁
놀라 선율의 손 확 뿌리치는데.

위에서 "저기도 있다!" 하는 경찰 소리에.

선율, 민혁 멱살 잡고 억지로 일으켜 세워 끌고 뛰어가는.

62씬	**D, 도로, 선율의 차 안**

선율이 운전하는 옆으로 피 나는 옆구리를 감싸 쥐고 조수석에 쓰러져 끙끙
대는 민혁.

선율, 옆구리를 보니 좀 깊게 베인 듯.

63씬	**D, 병원 복도**

태호, 중환자실에서 나와 걸어오는데, 그제야 '아차!'

64씬	**D, 간호사 스테이션**

태호, 황급히 다가와서는.

태호	선생님, 아까 제가 여기다 적어둔 메모 못 보셨어요?
간호사	(챙겨 주며) 아, 이거 맞죠?
태호	고마워요.

태호, 얼른 컴퓨터 앞에 앉더니,
'김은민'이라는 이름을 쳐서 병원 기록을 검색하는데.

65씬　　　D, 한국대 병원 앞
'끼익-' 멈추어 서는 수현의 차.
수현, 다급하게 내려서며 올려다보는 눈빛 위로.

태호 e　　　형수님! 알아봤더니 그 환자, 아직도 저희 병원에 있던데요?

수현, 황급히 로비를 향해 뛰어 들어가는데.

그 뒤로 '끼익-'
멈추어 서는 선율의 차.

이번에는 선율이 조수석에서 민혁을 부축해 반대편 응급실 쪽으로.

66씬　　　D, 14층 복도
수현, 다급하게 뛰어오던 발걸음…
점점 병실이 가까워질수록… 멈추어 서는…
그러다 다시금 다잡고…
한 걸음 한 걸음 두렵게 걸어와… 드디어.

cut to　D, 1405호 앞
멈추어 서는 수현 위로.

플래시백 **카페** (56씬 연결)

기자   사고 난 여자 이름은 김은민이에요.

수현, 병실 앞 김은민 이름표에 시선.
떨리는 손으로 문손잡이 잡고 천천히 옆으로 미는데,
조금씩 열리는 문 사이로 보이기 시작하는 은민의 모습과 교차되며.

플래시백 **카페** (56씬 연결)

기자   누군지 아시겠어요?

점점 더 열리는 1405호 문.

플래시백 **카페** (56씬 연결)

기자   은수현 씨가 죽인 사람, 와이프예요.

드디어 활짝 열리는 문.
들어서는 수현. 복잡한 의료 기계들과 베드를 서서히 훑어보다가,
그렇게 마지막으로 시선 머무는 곳.

은민이 식물인간으로 누워 있다.

수현   (망연자실…)

수현, 은민 옆에 다가가고…
그 사진 한 장으로 여기 이 앞에 서게 된 수현.
나로 인해 남편을 잃은… 그리고 이렇게 되어 버린 여자….

이불 밖으로 나와 있는 은민의 손을 내려다보는데….

수현　(그제야 눌렀던 감정이 새어 나오듯…) 허….

그 순간이었다.
'드르륵' 등 뒤로 문 열리는 소리.

수현, 놀라 돌아보는데,
뜻밖에 들어오는 사람, 선율이다!

그렇게 전혀 예상치 못한 곳에서 마주한 두 사람.
서로 놀란 채 바라보는데…!

5화 엔딩

WONDERFUL WORLD

원더풀 월드

- 6화 -

사고가 아니라…,
사건 같다…

D, 응급실

선율, 의식 잃은 민혁을 업고 급하게 들어오며.

선율   (다급) 여기요!!

컷 튀면.

의사, 민혁의 옷을 찢고, 상처 부위 살피며.

의사   어쩌다 이랬어요?

민혁을 보는 선율의 눈빛 위로.

플래시백   (5화 61씬)
창문을 향해 의자를 던지는 민혁.
와장창 깨지는 유리창.

그 사이로 뛰어 내리다 칼날처럼 붙어 있던 두꺼운 유리 조각에
옆구리가 싹 베이는.

선율	라세레이션 운드(laceration wound)요. 버티칼 7센치 정도 됩니다.
의사	(이쪽 사람인가 싶어 멈칫) 일단 검사하고, 장기 손상 있으면 바로 수술 들어갈게요.
간호사	(다급) CT실 먼저 가겠습니다!

민혁의 베드, 검사실로 빠르게 움직이고.

간호사	(동의서 내밀며) 응급 수술 할 수도 있어서 동의서 작성 좀요. 가족이세요?
선율	(잠시 동의서 바라보다가…) 네. (체크해 건네고는)

멀어지는 민혁의 베드를 바라보는 선율의 눈빛.

2씬   **D, 병원 화장실**

선율, 세수하면서 잠시 좀 추스르는데…
그렇게 거울 속에 비친 자신의 얼굴을 바라보다가….

3씬   **D, 14층 복도**

선율, 천천히 걸어와 멈추는 발걸음.
1405호 앞.
환자 이름 '김은민'을 보는데….

그걸 보는 선율의 가슴에 뜨거운 무언가가 요동치는…

그렇게… 서서히 1405호 문을 여는데.

4씬　　**D, 1405호 병실**

수현, 은민을 망연자실한 채 내려다보고 서 있는…

그 순간,

'드르륵' 등 뒤로 문 열리는 소리.

수현, 놀라 돌아보는데, 선율이다!

수현　　너… 여기 어떻게…?

선율, 수현만큼이나 놀란 채, 아무 말 못하는… 그때였다!

e　　삐, 삐, 삐, 삐, 심전도기 경고음.

갑자기 경련을 시작하는 은민.

빨라지는 심박수. 급격한 파동을 보이는 모니터 그래프.

수현, 얼어붙고, 선율도 당황하는 그 순간,

'삐__' 소리와 일직선이 되는 그래프.

e　　코드 블루! 코드 블루!

cut to　D, 1405호 병실

선율, 앞뒤 생각할 겨를 없이 은민 위로 뛰어 올라가 CPR 하고.

떨려 오는 거친 숨소리. 붉어 오는 눈동자. 이마에 맺히는 땀.

오직 살려야 한다는 생각뿐. '제발… 제발… 제발…'

그 모습을 얼어붙은 채 바라보는 수현의 등 뒤로,
우루루 들어오는 태호와 의료진들.

태호   (선율을 향해) 나와요!

아무 소리도 안 들리는지 계속 미친 듯이 CPR 하는 선율.
누군가 거칠게 끌어내자 그제야 정신이 들 듯 휘청대며 비키면.

태호   (제세동기 건네받고) 150줄, 물러서!

'퍽!' 들썩이는 은민의 가슴.
모니터 확인하지만 돌아오지 않고,

태호   200줄!

'퍽!' 다시 들썩이는 은민의 가슴.

여전히 '삐_____' 그 순간.

수현의 기억 속, 건우의 '삐_____' 소리로 오버랩 되며,
제세동기, '쾅!' 함과 동시에.

헤드라이트 속 서 있는 지웅의 얼굴. (1화 47씬)
무릎 꿇고 애원하는 수현. (1화 46씬)
수현을 밀치고 조롱하던 지웅. (1화 46씬)
깨지는 영정 사진. (1화 46씬)

지웅에게 돌진하는 수현. (1화 47씬)

그 위로 심박 그래프 직선을 그리며 건우의 심정지 '삐이_' (1화 30씬)

계속되는 '삐___' 소리에 수현, 어지러워 숨이 안 쉬어질 것만 같은.

그 순간,

정상으로 돌아오는 모니터.

그제야 수현, 참았던 숨 깊게 토해 내고…

선율도 식은땀 흘리며 비틀대듯 한쪽을 짚은 채….

그렇게, 다시 살아난 은민을 각자의 마음으로 바라보는데.

5씬   **D, 병원 옥상 정원**

수현, 심란한 심정으로 나와 서고.

저기 자신만큼이나 복잡한 심정으로 앉아 있는 선율의 모습.

INS   *미친 듯이 심폐소생술 하던 선율. (4씬)*

수현   너.

선율   (말 막듯 간신히 감정 꾹 누르고…) 사람 죽는 거… 보는 거 싫어요.

수현, 잠시 선율을 바라보다가….

수현   거긴 왜 왔어?

선율   (그 소리에 눌러보며) 그러는 그쪽은요?

수현	(마음이 복잡해지는…) 찾고 싶은 사람이 있어서.
선율	그 사람, 가족이요?
수현	(!) 너… 어떻게…?
선율	(시선 돌리며) 부탁한 건 아니지만, 나도 한번 찾아봤어요.

수현, 기막혀 눌러보다가… 아깐 정신없어 못 본 선율 옷에 묻은 피.

수현	(선율의 팔을 잡고) 너 이거 뭐야?
선율	(수현의 팔 탁 치워 버리고 벌떡 일어나며) 오지랖 그만 부려요. 그깟 일기장 좀 전해 줬다고 진짜 나한테 뭐라도 된 줄 아나….

가슴에 들끓는 분노 간신히 참으며 자리 뜨는 선율…
그 뒷모습을 잠시 굳은 채 바라보는 수현의 눈동자.

6씬 **N, 선율의 원룸**

선율, '쾅!' 문 닫고 들어와 책상 위에 아무렇게나 차 키 던져 버리고
욕실로…
이내 곧 들리는 물소리.

7씬 **N, 욕실**

옷도 안 벗은 채 물 아래 서 있는 선율…
그제야… 물인지… 눈물인지 모를…
선율, 온 힘을 다해 참고 있는…
바닥으로도 흐르는 민혁의 피…

아무리 다쳐도 안 아팠던 마음이 오늘은 너무 아파서…

그렇게 한참 동안….

8씬　　**N, 선율의 집, 옥상 전경**

하늘 위로 지는 노을… 그 노을 따라가면….

9씬　　**N, 병원 옥상 정원**

노을 아래…

여전히 선율이 떠난 후에도 혼자 앉아 있는 수현… 그 위로.

cut to　(회상) D, 1405호 복도

힘든 마음으로 서 있는 수현을 향해.

태호　　(달려오며) 형수님!

수현　　그 환자는 좀 어때?

태호　　위급한 상황은 넘겼는데 당분간 좀 지켜봐야 될 것 같아요.

수현　　깨어날… 가능성은 없는 거야?

태호　　아무래도 뇌손상으로 오랫동안 누워 있다 보니. 그치만 간혹 기적이 일어나
　　　　기도 해요.

수현, 마음이 아픈… 잠시 생각하다가….

수현　　혹시, 다른 가족은 없어?

현재

여전히 생각에 잠긴 수현의 눈동자로 오버랩 되는… 그 위로.

태호 e   아들이 하나 있대요.

그제야, 천천히 수호의 불륜 사진을 꺼내 보는 떨리는 눈빛.
'이제야 알겠다… 나에게 사진을 보낸 사람…
날, 여기까지 오게 한 사람….'
그렇게 한참 동안…. (F.O)

10씬   (F.I) D, 병원 외경 (아침 풍경)
걸어 들어가는 수진, 통화하며.

수진   어, 지금 도착했어.

11씬   D, 중환자실
누워 있는 민혁의 모습.

12씬   D, 중환자실 앞
의사로부터 민혁의 상태를 전해 듣고 서 있는 수진의 모습.

13씬   D, 폐차장 근처 복싱장

선율, 생각을 떨쳐 내려는 듯 땀 흘리며 복싱하는.
숨이 턱까지 차오르는데도 멈출 수가 없고.
그렇게 미친 듯이 치고 또 치고.
그러다 결국,
심장에 통증을 느끼고 가슴을 거머쥐는 선율.

마침, 저만치 걸어오던 수진, 그걸 봤고.

수진   (고함) 야! 권선율!!

미친 듯이 달려와서는 선율을 한쪽에 앉히며.

수진   (숨차서) 조심 좀 하랬지! 너 이렇게 뛰면 안 된다고! 그 심장이 어떤 심장인데!
선율   (간신히 숨 고르며…) 너나 조심해. 숨차잖아.
수진   (씨!) 너 아님 내 심장 고장 날 일도 없거든.
선율   (낮은 미소…)
수진   (속상해서 괜히) 웃지 마라?! 심장 뛰니까.

그러면서도 수진, 얼른 선율에게 물 건네고.

선율   (한 모금 마시고는… 무심히) 걘 좀 어때.
수진   수술은 잘 끝났는데 아직 의식은 없대. 한 2, 3일 정도 지켜보자고.
               난 지금도 이해가 안 가. 진짜 상관도 없는 사람을 왜 찾았는지.
선율   (대답하지 않는…)
수진   (더 말하지 말자 싶고) 당분간 병원엔 내가 갈 테니까 넌 신경 쓰지 마.
선율   됐어.

수진	(발끈) 아, 말 좀 들어! 너 어제 충격 받았다며!
선율	(보면…)
수진	야, 우리 둘 다 옛날에 심장 아파서 입원해 있을 때… 나 진짜 무서웠거든. 그때마다 너 없었음 나 못 버텼어. 그러니까 너 위해서 뭐든 해 주고 싶은 이 누나 말 좀 들어라!

선율, 수진의 진심이 느껴져서… 머리 쓰다듬어 주며….

선율	맨날 아프다고 업어 달라던 그 코찔찔이가 오늘은 좀 컸네?
수진	(치이!) 다 큰 지가 언젠데.

선율, 낮은 미소… 그러다….

선율	(저 멀리 시선 주며…) 수진아….
수진	응.
선율	어제 거기서… 그 여자 만났다.
수진	(굳어지는 눈빛)
선율	궁금하지 않냐? (의미심장한) 그 아들을 만나면 어떤 표정을 지을지.

어쩐지 서늘해지는 선율의 눈빛.

14씬   **D, 고은의 집, 작은 방**

수현, 고민이 많은 눈빛….

태호 e	아들이 하나 있대요.

플래시백　식물인간이 된 은민의 얼굴. (5화 67씬)

마음이 안 좋고…
다시금 은민의 기사를 검색해 들여다보는데.

모니터 속 기사 화면

세현 사거리 건널목에서 무단 횡단하던 40대 여성 김모 씨가 달려오던 트럭
에 치여 중태. 김모 씨는 머리 등을 크게 다쳐 인근 병원으로 급히 이송된 것
으로 알려졌다.

수현의 시선이 닿는 곳. '세현 사거리' (c.u)

15씬　**D, (다음 날) 은민이 사고 난 동네 (세현동)**
　　　　　수현, 막 파출소를 나와 길 따라 걸어가는 위로.

순경 e　거기가 횡단보도 위치가 좀 애매해서 무단 횡단들을 많이 하긴 해요. 근데
　　　　　워낙 급커브길이고, 바로 위가 횡단보도라 다들 속도를 줄여서 사고는 거의
　　　　　없어요.

　　　　　그렇게 도착한 은민의 사고 난 지점. 표지판 <세현 사거리>
　　　　　수현, 천천히 주변 지형을 살펴보는데.

　　　　　순경 말대로, 급커브길. 바로 위는 횡단보도.
　　　　　달려오는 차들, 대부분 감속하고.

마침, 건너편 버스 정류장에 도착한 버스.

그때 고등학생들 여러 명, 은민이 그랬던 것처럼 우루루 무단 횡단.

그중 한 명, 횡단보도로 올라가려니까,

"그냥 건너! 버스 놓쳐."

친구들을 따라 함께 무단 횡단하는 학생들.

그제야, 왜 이 동네 사람들이 여기서 무단 횡단을 많이 하는지 알겠고.

'버스 정류장 때문이구나….'

잠시 상상을 해 보는 수현의 눈빛 위로.

상상 속

저만치서 걸어오던 은민, 건너편에 도착한 버스를 보고.

좌우를 살피며 건너려는 그 순간,

저 위 커브길에서 갑자기 나타난 트럭 한 대, 달려와 '쾅!'

현재

수현, 서서히 시선 돌리면, 제한 속도 30이라 적혀 있는 표지판.

| 16씬 | D, 수현의 차 안 |

수현, 아무리 생각해도 뭔가 이상하고.

곰곰 생각하던 끝에, 어디론가 전화를 거는.

| 수현 | 네, 판결문 열람을 좀 신청하고 싶은데요. |

그런 수현의 눈빛에서.

17씬   **N, 고은의 식당**
고은, 영업을 마무리하며 테이블을 다 닦아 내다가, 시계 보는데.

고은   얜 종일 어딜 간 거야….

18씬   **N, 고은의 식당 앞**
고은, 막 쓰레기봉투 내놓으려고 나오는데,
그 앞에 서 있는 고개 떨군 수호의 모습에…
고은, 차가워지는데….

수호   어머니….

고은, 상대하기도 싫다만… 잠시 눌러보다가….

고은   들어와.

한쪽에 쓰레기봉투 내려놓고 들어서는 고은의 뒷모습을…
수호, 복잡한 마음으로 바라보고.

19씬   **N, 고은의 식당 안**
한쪽만 조명이 켜 있는 아래…

고은과 수호… 소주 한 2병 정도. 잔 두 개 놓고.

고은과 수호, 마주 앉은.

수호 (입이 안 떨어지지만…) 죄송합니다. 어머니….

고은 (본다…)

수호 제 실수, 부인하진 않겠습니다, 근데 정말… 딱 한 번이었습니다….

고은, 술 한 잔 털어 넣고는….

고은 좀 참지…

건우 가고 수현이까지 그렇게 됐으면 너라도 정신 차렸어야지….

죄책감에 더욱 고개 떨구는 수호… 그러다….

수호 저도… 자식을 잃었어요….

고은 (그 말에 수호를 천천히 바라보고…)

수호 근데요 어머니…

저는… 마음껏 슬퍼할 수가 없었어요….

수현이까지 잃을까 봐… 소리 내 울지도 못했어요….

(울컥) 차라리 내가 할 걸…

수현이 대신 내가 감옥에 갔어야 했는데….

고은 (이놈도 불쌍하고…)

수호 매일 밤 후회하고 자책하고…

그러다… 정신을 차리고 보니까… 제 옆에 아무도 없더라고요…

수현이도 없고 건우도 없고, 그 집이 너무 추워서…

너무 외로워서…

그래도 그러면 안 되는 거였는데… (울컥) 죄송합니다….

20씬   **N, 고은의 식당 앞**
그걸 문밖에서 기대 선 채 듣고 서 있는 수현의 마음도… 아픈…
그렇게 발길을 돌리는데….

21씬   **N, 청담 숍**
유리, 혼자 남아 디스플레이를 점검하며 야근 중이고.
그때 들어오는 수현, 일에 몰두하고 있는 유리를 바라보는….

유리, 마무리하고 돌아서다가, 입구에 기대 선 수현을 발견하고.

유리   (놀랍고 반갑고) 언니?
수현   (다정한) 유리야….

유리, 반가워서 수현을 향해 손 내밀고 걸어오는 모습이 마치….

회상
어린 유리(초등학생)가 수현(고등학생)을 향해 손 내밀던….

그 모습과 겹쳐 보이며… 수현, 그때처럼 유리의 손을 꼭 잡아 주는.

22씬   **N, 산책로**

함께 손잡고 걷는 두 사람.

수현   이 길 진짜 오랜만이다.

유리   (옛 생각 나고…) 언니가 항상 이쯤에 서 있었어.

        나 엄마한테 두들겨 맞고 도망쳤을 때도…

        친구 없어서 혼자 외롭게 걸어왔을 때도…

        언니가 여기 서 있다가 내 손 이렇게 꼭 잡아 줬어.

        (문득) 진짜 나한테 왜 그렇게 잘해 줬냐. 불쌍해서?

수현   (미소…) 예뻐서.

유리   (괜스레…) 뭐래, 낳은 엄마조차도 날 짐짝 취급했는데.

수현   나한테 넌 선물 같았어. 그건 앞으로도 그럴 거야.

유리, 뭔가 좀 복잡하고 또 울컥하는 마음으로 바라보는데….

수현   나 땜에 엄마도 너도 항상 마음 안 좋은 거 알아.

        (머뭇) 엊그제… 그런 모습까지 보였고… 근데 유리야.

        나는 나답게 해결할 거고 또 헤쳐 나갈 거야.

        너랑 엄마를 위해서라도….

담담하고도 따뜻하게 바라보는 수현과…

그런 수현을 참 여러 가지 복잡한 감정으로 바라보는 유리…

그 두 사람의 모습에서…. (F.O)

23씬   (F.I) D, 고은의 집, 거실

창으로 들이치는 햇살.

눈살을 찌푸리며 바닥에 웅크리고 새우잠 자던 수호…
그러다 추운지 덮어 놓은 이불을 목까지 끌어안는데,
그 앞에 '턱!' 놓아지는 밥상 소리에 찡그리며 눈을 뜨는데,
보이는 고은의 모습…
그제야 벌떡 일어나 무릎 꿇는 수호….

고은   (복잡한 심정으로 보다가…) 먹고 가.

수호, 밥상을 보는데… 사위 새끼 먹으라고 끓여 준 북엇국.
'뭐가 예쁘다고….' 가슴이 아려 오는….

수호   죄송합니다… 어머니….
고은   (낮은 한숨…) 수현이, 집에 갔네.
수호   (눈 커지고!)

24씬   **D, 수현의 집, 거실**
황급히 들어오는 수호.
저기 앉아 있는 수현의 모습에… 주저하듯 다가와….

수호   수현아….

수현, 천천히 수호를 눌러보고….

수현   내 맘 정리는 이제 다 끝났어.
수호   (아프지만 받아들여야 한다는 마음으로 바라보고…)

수현	당신은 우리 관계에 신뢰를 깼어.
수호	(흔들리는 눈빛)
수현	처음부터 앞집 여자라고 말했어야 했어.
	날 잃을까 봐 했던 당신의 거짓말이 나를 더 아프게 했어.
수호	미안하다… 내가 어리석었어….
수현	내가 받은 상처는 쉽게 지워 낼 수 없을 거야. 평생, 이 안에 얼룩져
	남아 있을 거야.
수호	(고개 떨구며 끄덕끄덕)
수현	그래서 당신을 모조리 다 도려내려고 했어. 그랬더니….
	나도… 건우도… 없어지더라.
수호	(순간 멍해지며 쳐다보고)
수현	우리 관계를 다시 회복하는 데 얼마나 걸릴지는 모르겠어.
	그렇지만… 나는 최선을 다해 보려고.
	이게… 내 선택이야.

수호, 그만 수현을 와락 껴안고.

| 수호 | 고마워… (울먹) 고맙다… 수현아. |

'부디 여기서부터 다시 시작할 수 있기를….'
그렇게 서로를 꼭 안아 주는 두 사람.

25씬 **D, 수현의 집, 정원 (몽타주 1)**

묘목을 심는 수호 옆에서 텃밭을 가꾸는 수현.
다가와 수현의 땀을 닦아 주는 수호의 얼굴을 바라보는 수현.

26씬	D, 실내 골프장 (PPL 몽타주 2)

수호, 수현을 이끌고 들어오고.
그렇게, 수호와 수현, 즐거운 시간을 보내고…
스윙하는 수호를 미소로 바라보던 수현. 그때, 문자 수신음.

e	신청하신 판결문 열람 승인 완료됐습니다.

수현의 눈동자, 커지고.

27씬	N, 서재

수현, 신청했던 은민 사건의 판결문을 보는데…
어느 한 부분에 시선 꽂히고.

<가해자가 제한 속도 30 도로에서 115로 달렸다는 부분만. (c.u)>
(판결문은 첫 장과 이 부분만 필요)

잠시 고민하던 수현, 생각을 정리하고는 전화 거는데.

수현	안녕하세요. 기자님.

28씬	N, 기자실

기자, 수현의 전화를 반갑게 받으며.

기자	안녕하세요, 안 그래도 궁금했는데. (듣더니 좀 놀라며) 사고 현장엘 가셨어요?

cut to 서재 / 기자실 (교차 / 통화)

수현 네…. 거기 제한 속도가 30이던데 판결문을 보니까 가해자 차량 속도가 급커
브길에서도 100이 넘더라고요. 혹시 가해자가 거기 지리를 잘 모르는 사람
이었나요?

기자 (기억을 더듬으며) 아뇨. 그 동네 토박이었던 걸로 기억해요.

'토박이…? 그럼 더 이상한데….'

기자 (계속) 좀 꺼림칙한 부분이 있긴 했죠.
그래서, 김은민 씨 아들도 엄마 사고에 대해 엄청 들쑤시고 다녔어요.

'아들이…?' 처음 안 사실에 수현, 좀 놀라고… 그러다.

수현 혹시 그 가해자에 대해서 좀 알 수 있을까요?

컷 튀면.

수현, 휴대폰 끊고 내려놓으려는데
문득, 통화 목록에 보이는 '선율'의 이름.
그제야 메시지함 들어가 보면.

선율이 보낸 '밥' 이모티콘 아래로 수현이 그동안 쭉 보냈던 문자들.
[집엔 잘 들어갔어?]
[비 온다, 오토바이 조심해.]
[전화 안 받네. 밥 잘 챙겨 먹어라.]

[밥 먹었니?]

수현의 문자에 답 문자 없는 선율.

플래시백   (5씬)

선율   오지랖 그만 부려요. 그깟 일기장 좀 전해 줬다고 진짜 나한테 뭐라도 된 줄
            아나.

            그럼에도… '얘는 어쩌고 다니나…'
            어른으로서 걱정하는 수현의 눈빛에서. (F.O)

29씬   (F.I) D, 한국대 병원 외경

30씬   D, 병원 복도
            태호, 생각에 잠긴 채 걸어오는데.

INS   *은민을 심폐소생술 하던 선율의 모습. (4씬)*

태호   (생각이 날 듯 말 듯, 답답하고) 하… 어디서 봤는데….

            그 순간 얼음!
            저 앞에 비니 쓴 소아 환자, 태호를 노려보고. 3! 2! 1! '으아아앙!'

            컷 튀면.

아이, 태호를 붙잡고 늘어지며 울며불며.

아이	(아아아아앙) 나 수술 안 해애애….
태호	(진땀 뻘뻘) 그럼 비행기 못 타는데? 우리 한결이, 비행기 조종사 돼야 할까~ 안 돼야 할까~?

그 순간, 쓱 들어오는 손바닥 위에 하트 배지.

태호	(흠칫, 돌아보면)
수진	(아이를 향해) 선물.
아이	(경계하고)
수진	(재킷 안쪽, 자기 가슴에도 달린 하트 배지 보여 주며) 나도 여기가 많이 아파서 수술했거든? 이거 달면 이제 안 아플 거야. 해 볼래?
아이	(조심스레 끄덕)

수진, 아이 비니에 배지 달아 주고.
아이, 저만치 엄마를 발견하고는 '엄마~' 하고 달려가면,
남겨진 태호와 수진.

수진	(하트 배지 내밀며) 이거.
태호	(?)
수진	혹시 또 이런 상황이 생기면 유용하게 쓰시라고요. (가려는데)
태호	저기요?
수진	네?
태호	이렇게 막 하트를 주고 그냥 가시면 제가 좀 섭해서. 우리, 몇 번 봤죠?

수진	네, 뭐, 종종 오니까요. (가운에 적힌 이름을 보며) 강태호 선생님.
태호	(깔롱 부리며) 그럼, 나는 뭐라 불러요~?
수진	아! (그제야 명함 건네고) 홍수진이라고 합니다.
태호	(명함 보는데) 터프팅? 이게 뭐예요? (순간)
수진	(손으로 총 만들어 태호를 향해) 탕탕탕!
태호	(O.L 흠칫) 어우, 깜짝아.
수진	나중에 한번 놀러 오세요. 보여 드릴게요~

씩씩하게 인사하며 돌아서는 수진, 표정 싹 바뀌고.
그 뒷모습을 바라보던 태호.

| 태호 | 탕탕탕? (삘… 하게 터지며) 뭐지, 이 사랑의 총알은? |

수진이 준 하트를 보며 돌아서는데 한 걸음 두 걸음 세 걸음, 순간!

| 태호 | (번쩍) 생각났다!! |

31씬	**D, 의국**

태호, 들어오자마자 얼른 수현에게 전화 걸고.

| 태호 | 하… 형수님… 왜 이렇게 안 받으시지…. |

32씬	**D, 1405호**

수현의 가방에서 무음으로 깜빡이는 휴대폰. 액정 '태호'

수현, 전혀 모른 채 조용히 문을 닫고 들어와
문가에 서서 은민의 모습을 보다가
어렵게 한 걸음 한 걸음 다가가서 은민의 발치에 서서 바라보는.

(시간 경과)

수현, 은민의 옆에 앉아 잠시 물끄러미 내려다보는데….

기자 e   그 아들만 엄마 사고에 대해 엄청 들쑤시고 다녔어요.

그렇게 한참을 은민을 바라보다가….

33씬   **D, 민혁의 병실 + 병실 앞 복도**
의식 없는 민혁의 상태를 확인하고는 나오는 수진.
그때, 실장과 가드 3명(5화 홀덤펍), 복도 끝에서부터 걸어오며 병실 뒤지고 있는.
수진, 직감적으로 확 돌아서서 가며 다급하게 휴대폰 걸고.

수진   (목소리 낮추며) 선율아, 큰일 났어!

34씬   **D, 폐차장 사무실**
선율, 수진의 전화에 벌떡 일어나고.

선율   (황급히 오토바이 키 챙겨 나가면서) 넌 공방에 가 있어.

cut to   폐차장

속도를 올리며 출발하는 선율의 오토바이.

35씬　　**D, 1405호 앞**

문 닫고 나와서는 수현, 잠시 생각하다가.

36씬　　**D, 간호사 스테이션**

수현, 다가와 간호사에게.

수현　　혹시 1405호 김은민 환자 병원비는 어떻게 내고 있나요?

37씬　　**D, 병원 로비**

수현, 굳은 채 걸어 나오다가 전화하려고 휴대폰 꺼내 드는데,
그제야 부재중 전화를 봤고.

수현　　(전화 걸며) 어, 태호야, 전화했었네?

38씬　　**D, 의국 / 로비 (교차 / 통화)**

태호　　네! 형수님, 다른 건 아니고요. 저번에 1405호 환자 CPR 했던 사람이랑 무슨
사이예요?

그때, 수현 앞으로 저만치 선율이 쏜살같이 달려가는 게 보이고.

수현   (어?)

태호 e   그 친구 낯이 익어서 어디서 봤나 했더니.

수현   (O.L 다급) 태호야. 잠깐만.

전화 끊고, '쟤가 어딜 저렇게 급히 가는 거지?'

39씬   **D, 민혁의 병실**

누워 있는 민혁 옆으로 홀덤펍 실장과 깡패들(펍에 있던 가드들),
무섭게 진을 친 채.

깡패 1   의식이 없다는데요.

실장   도박 빚이 이천오백인데… (민혁 이마를 툭툭 치며) 한가롭게 숙면 중이시다? 자
면서 갚는 방법도 있지. (턱짓 하면)

깡패 1, 민혁 이름이 써진 '신체포기각서'를 펼치고.
실장, 누워 있는 민혁의 엄지손가락을 펴서 지장을 찍으려는 찰나.

'쾅!' 열리는 문소리에 흠칫, 돌아보면,
선율, 성큼 성큼 다가와 그대로 각서 낚아채 찢어 던져 버리고는.

선율   (서늘) 니들이 인간이냐? 의식도 없는 사람한테.

깡패 1   뭐야, 이 새낀!

선율에게 주먹 날리는데 전광석화처럼 빠르게 피하며 역공하면,
자빠지는 깡패 1.
그런 선율을 보던 실장, 그제야 떠올랐고.

실장   아~ 그때 신고한 새끼 너 맞지? 이것들 한패였네. 내가 니들 땜에 뺑이 친 걸
생각하면 씨, (표정 확 굳어지며) 조져.

40씬   **D, 병원 복도**
병실 밖으로 내쳐져 복도 벽에 꽝 부딪치는 선율.
깡패들, 위협적으로 선율에게 덤비고.
주변, 의료진들이며 환자들도 놀라 소리치고
선율, 빠르고 유연한 복서처럼 스피디하게 공격을 피하며 싸우지만.

수적으로 밀리다 발길질에 걷어차이는 그때,
병원 보안 요원들, 뛰어오고.
실장과 깡패들, '에이씨', 슬슬 도망치듯 철수하고.

그렇게 사라지는 깡패들과 그 뒤를 쫓는 보안 요원들.
마침, 선율을 찾던 수현, 그 모습에 놀라고.
선율, 입가에 흐르는 피 닦아 내며 시선 외면하는데….

수현   (눌러보며) 얘기 좀 하자.

41씬   **D, 병원 주차장**

선율, 굳은 채 걸어 나오고.

그 뒤를 쫓아오던 수현, 선율을 붙잡고.

쟁쟁하게 부딪치는 두 사람의 눈빛.

수현 너 진짜 왜 이렇게 사니? 언제까지 이렇게 살 거야?

선율 남이사? 이렇게 살다 죽든 말든! 당신이 무슨 상관인데?!

수현 (O.L) 어! 이제 좀 상관하려고! 네 인생 아깝지도 않아? 좀 제대로 살 수 없어?!

선율 (O.L) 진짜 뭐 내 보호자라도 되는 줄 아나 봐? (어금니 꽉) 당신 아무것도 아냐.

수현 툭 하면 터지고 다치고 깨지고! 네 부모님 생각해서라도 더는 너 망가지는 꼴 못 봐.

선율 (부모 소리에 눈 돌고) 그런 말 할 주제나 돼? 당신, 살인자잖아?!

수현 (그 말에… 입 다물고…)

선율 (분노 가득) 당신 인생이나 똑바로 살아.

선율, 이내 곧 시동 걸고 거칠게 출발하면…

수현, 여전히 그대로 서 있는….

42씬   **N, 선율의 원룸 앞**

어두컴컴한 계단을 터벅터벅 오르는 선율.

휴대폰 계속 울리지만 받지 않고. 액정 '수진'

43씬   **N, 선율의 원룸**

선율, 문을 열고 들어와서는…

냉장고 문을 열고…

잠시 멍하니… 그러다 먹다 남은 이온음료 꺼내다 떨어뜨리는데…
뚜껑이 열리며 사방으로 쏟아진.
꾹 참으며 내려다보던 선율.
수건 가져와 다시 내려다보다 묵묵히 닦는데…
그제야, 폭발하듯 수건 던져 버리며.

선율   아! 씨!

일어나서는 어떻게든 분노를 누르고, 참아 보려… 왔다 갔다…
하지만 결국에는 터져 버리며, 냉장고 문 '쾅!' 닫아 버리고.
의자에 걸쳐 놓은 옷도 힘껏 던져 버리고는
그대로 벽에 기대앉는데…
분노와 슬픔이 차오르는 선율의 복잡한 뒷모습에서….

44씬   N, 건우의 방

수현, 선율로부터 살인자 소리를 들은 오늘…
건우 침대에 앉아… 내 새끼를 생각하는 쓸쓸한 눈빛… 그 위로,
파노라마처럼 떠오르는 건우의 얼굴들.

플래시백

건우   나도 엄마 냄새 좋아. 예쁜 냄새. 별 냄새. (1화 23씬)

수현, 립싱크하고 춤추는 걸 보며 건우 박수 치고 낄낄. (3화 14씬)

수현, 건우가 죽기 직전… 손톱을 깎아 주고. (1화 30씬)

건우의 유골함, 뺏기지 않으려는 듯 더 꽉 안는 수현. (1화 31씬)

수현, 아프다….

(시간 경과, 깊은 밤)

45씬　　**N, 부부의 방**
잠든 수호 옆에서 수현, 악몽으로 식은땀을 흘리고….

46씬　　**(꿈) N, 공터**

건우 e　　엄…마….

건우, 유기된 장소에 웅크리고 누운 채로 힘겹게 수현을 찾는.

건우　　엄마…. (순간)

'우르릉 쾅!' 천둥소리와 함께.

47씬　　**N, 부부의 방**
수현, 악몽에서 깨어나며 눈 번쩍 뜨고!

| 수현 | 건우야?! |

잠에서 깬 수호.

| 수호 | (놀라) 수현아! 괜찮아? |

수현, 마음이 힘들고…
그 모습을 보면서도… 아무것도 해 줄 수 있는 게 없어서…
더 가슴 아픈 수호의 모습에서….
(F.O)

48씬　　**(F.I) D, 수현의 동네, 산책로**
아침 풍경.
아침을 시작하는 다양한 사람들의 모습.

그 속에서 수현, 산책하며 걷고 있다.
그렇게 나름의 방식으로 머릿속을 비워 내는.

49씬　　**D, 수현의 집, 주방**
수호, 수현을 위해 간단한 브런치를 준비하고 커피를 내리고.
마침 들어오는 수현의 모습에.

| 수호 | (조심스럽게 살피며) 당신… 괜찮아? |
| 수현 | (애써 아무렇지 않게) 응. (말 돌리며) 커피 냄새 좋다. |

수호	(커피 건네며…) 오늘은 뭐해?
수현	엄마 김장 봉사하는 거 도우려고.
수호	(아…) 그날인가? 진작 알려 줬으면 월차라도 냈지. 힘쓰는 건 내가 해야 하는데.

수현, 괜찮다는 미소… 그렇게 마주 앉아 식사하는…
수호, 수현을 잠시 바라보다가….

수호	우리… 이사 갈까.
수현	(보면)
수호	여긴 너무 기억이 많잖아… 건우 유치원이며… 놀이터며…
수현	(천천히 가로젓고) 어디 간들 잊혀지겠어…
	건우 방이… 다른 걸로 채워지는 것도 싫고….

수호 그 말에 끄덕이고.
그렇게 서로의 아픔을 담담하게 나누는 두 사람의 눈가…
촉촉해지는.

50씬	**D, 고은의 식당**
	고은과 유리 한창 김장 양념 준비 중인데,
	그때, 문 열고 들어오는 수현.

고은/유리	(반갑고) 왔어? / 언니~!
수현	(유리를 보고는 놀라) 너 회사는 어쩌고?
유리	울 엄마 매년 하는 일에 내가 빠지면 쓰나~
수현	올해는 나 있는데 뭐 하러 와.

고은	(미소) 오지 말래도 말 안 들어.
유리	어어?! 두 사람 왜 자꾸 나 빼려 해? 나 빼지 말라고, (고은과 수현 간지럽히고) 나 있어서 좋다고 해. 얼른!
고은	(웃으며) 그래~ 엄마가 딸이 둘이라 든든하다!
수현	(미소) 옷 갈아입고 올게.

cut to 몽타주
세 사람, 함께 김장하는 모습.
큰 대야에 담긴 엄청난 양의 양념들을 섞고.
손 빠르게 배추 사이사이 양념을 넣고.
손발이 척척 맞는 세 사람.

고은, 고무장갑 낀 손으로 수현과 유리 입에 김치 넣어 주고.
수현도 고은 입에 넣어 주고.

유리	우리 그거 틀자! 엄마 젤 좋아하는 노래!

휴대폰 어플, 플레이하면, 서울 패밀리의 <이제는>

고은, 모처럼 두 딸 덕분에 기분 좋고.
유리도, 대파를 마이크 삼아 열창하고.
그런 두 사람을 바라보다가 잠시 생각에 잠기는 수현.

(시간 경과)

어느새 포장한 김치 박스들 차 트렁크에 차곡차곡 옮기는 수현과 유리.

51씬	**N, 성당 주차장**

수현, 수녀님의 배웅을 받으며.

수녀	어르신들이 너무 좋아하세요. 매번 감사드려요.
	마리아 자매님께도 꼭 인사 전해 주세요.
수현	(함께 목례하며) 네.

52씬	**N, 수현의 차 안**

그렇게 차에 올라타는 수현, 옆자리를 보면, 쇼핑백 안에 든 김치 통.
잠시 눌러보다가 출발하는.

53씬	**D, 크레인 농성 현장 (뉴스 화면 영상)**

양복 입은 국회의원들(최주석, 손 의원 등) 크레인 아래서 확성기로 위에 있는 박
진환을 향해 힘내라는 응원의 메시지를 전달하고. 카메라 앞에서 쇼맨십 펼
치는.

그 앞으로 카메라 든 기자.

기자	높이 50m 크레인에서 34일째 고공농성 중인 환경운동연합 박진환 투사를
	응원하기 위해 오늘 낮 한국연합당 의원들이 현장에 방문했습니다. 그런데
	가장 유력한 대선 후보인 김준 의원만이 이 자리에 불참했습니다. 이날 김준
	의원이 향한 곳은 박진환 투사의 딸이 다니는 초등학교였습니다.

| 54씬 | D, 초등학교 운동회 (영상 화면) |

<제 13회 은내 초등학교 체육대회>

'탕!' 총소리와 함께 2인 1각 달리기를 시작하는 학부모들과 아이들.

그중, 운동복 입은 김준과 박진환의 딸도 있고.

응원 함성 커지고. '영차 영차!'

1등으로 피니시 라인 통과하고 손뼉 치며 좋아하는 김준과 박진환의 딸.

김준, 아이들에게 아이스크림 나눠 주고. 한 명씩 머리 쓰다듬어 주고.

| 55씬 | N, 뉴스룸 |

뉴스하는 수호 뒤로 화면 속 환한 미소의 김준. (c.u)

| 수호 | 10살 난 어린 딸의 운동회에 참여하지 못하는 박 투사의 안타까운 사정을 들고 대신 함께 딸과 시간을 보낸 김준 의원은 국회에서도 개발 사업 중단에 대한 목소리를 높이고 있습니다. 이에 박 투사는 김준 의원과는 소통하는 시간을 갖겠다며 감사한 마음을 전했습니다. |

컷 튀면.

수호, 뉴스 끝낸 뒤 인사 받고 걸어 나오면서.

| 수호 | (못마땅) 김준 이 뱀 같은 새끼. |

쓰레기통에 원고 집어 던지고, 한상에게 전화하고는.

수호	형, 뭐 좀 나온 거 있어? 사진 보낸 놈 좀 빨리 잡자!

56씬　　**N, 김준 의원실**

김준도 뉴스 화면 속 자신의 모습을 흐뭇하게 보며 TV 끄고.

김준	(흡족) 그림 좋네.
비서관	현재 지지율 가파르게 상승 중입니다. 다만, 중장년층 콘크리트 지지층에 비해 여성 유권자는 손 의원보다 떨어지는 편입니다. 약 3퍼센트 차입니다.
김준	(흠…) 강수호는 요즘 어떻노?

비서관 아이패드 내밀면.

수호의 다양한 사진 위로 헤드라인.

<채널 평가 1위, 브랜드 평판 1위>
<동시간대 뉴스 시청률 1위>
<2049 여성이 뽑은 가장 좋아하는 언론인 1위>

비서관	여성층의 반응이 뜨겁습니다.
김준	성 평등 시대에 성비 한번 맞춰 봐야재.

아이패드 속 수호의 얼굴을 의미심장하게 보는 눈빛.

57씬　　**N, 폐차장 사무실**

선율, 막 작업복에서 평상복으로 갈아입는 중인데,
노크와 함께 들어오는 사람. 수현이다.
선율, 놀라 얼른 민소매 위에 셔츠 걸치고.

수현도 선율의 어깨 쪽을 보며 좀 '흠칫…' 하면서도,
시선 피하며 선율 앞에 쇼핑백 내려놓고는….

수현   할 말이 있어서 왔어.

선율   (…)

수현   네가 어떻게 사는지 내가 간섭할 권리는 없어. 근데 그날 너의 행동은 아무리 생각해도 이해가 안 돼.

선율, 수현을 바라보다가….

선율   뭔가 해 주고 싶었어요. 그쪽한테 받기만 해서.

수현   (…)

선율   그날, 그 사람 아들도 거기 있었어요.
나 같아서…
엄마까지 잃으면 안 될 것 같아서….

수현   (할 말이 없고)

선율   그쪽이 원하면… 만날 수 있어요.

수현, 대답 없이… 천천히 가려는데.

선율   어제는….

수현   (돌아보면)

선율	내가 말이 좀 심했어요.
수현	… 어. 좀 아프더라. 사과 받을게.

58씬　　**N, 폐차장**

수현, 차에 올라타고 문 닫으려는 순간.

선율	(뒤따라와 문 잡고) 내려요.
수현	(보면)
선율	타이어 바람 빠졌어요. (시선 피하며) 저기 가 앉아 있어요.

수현, 선율을 바라보는데….

컷 튀면.

선율, 수현의 차 타이어에 바람을 채워 넣는 중이고.
그러다 수현 쪽을 힐끔 보는데.

수현, 드럼통에 피워 놓은 불 앞에 앉아 물끄러미 올려다보는 하늘.
유난히 까만 하늘에 보이는 별.

그때, 선율, 장작 몇 개 드럼통에 넣고는 손 털고 옆에 앉으며.

선율	물고기자리예요.
수현	(보면)
선율	아프로디테가 아들하고 산책하다가 갑자기 나타난 괴물을 피해서 물로 뛰

어 들었는데, 엄마랑 아들이 서로 놓치지 않으려고 꼭 붙잡은 모습이에요….

'그렇구나….' 다시금 올려다보던 수현….

수현   부럽네… 그래도 함께 있으니까.

그 소리에 선율, 잠시 수현을 바라보다가….

선율   다시는 나 안 보러 올 줄 알았더니.
수현   겨우 그 정도 마음으로 내가 너 보호자 하겠다고 했을까 봐.
선율   (약간 어이없어서 수현을 보면)
수현   그러니까 네가 마음 바꾸는 게 빠를 거야.
       난 계속 네 인생에 참견할 거고 너 똑바로 사는 거 봐야겠어.

'치이….' 선율, 괜히 장작 하나 집어 던지고 뒤적이고 불꽃이 이는.

수현   (보다가…) 너는 뭐 하고 싶은 거 없어?
선율   그딴 거 없네요.
수현   그럼 지금부터 생각해 봐. 넌 네가 얼마나 예쁜 나이인 줄 모르지?
선율   공익 광곤가?
수현   (아유) 말 차암 예쁘게 한다.
선율   (…)
수현   혼자 고민하지 말고 나한테라도 상의해. 너 하고 싶은 거 도와줄게.
선율   (부정도 긍정도 안하는…) 원래 그렇게 친절해요?
수현   아니. 나 완전 까칠해.

그 소리에 선율도 자신도 모르게 처음으로 낮은 피식.
수현도 낮은 미소….

(시간 경과)

선율, 수현을 배웅하고. 수현, 차에 올라타려는데….

선율 (떠보며) 그 아들 한번 만나 볼래요?

그 소리에 수현, 잠시 선율을 쳐다보다가 가로젓고는.

수현 아니. 그 애를 위해서 내가 할 수 있는 걸 찾아보려고.

그렇게 출발하는 수현이 사라질 때까지…
한참 동안 바라보는 선율의 알 수 없는 표정… 그 위로,
울리는 휴대폰.
액정을 보는 선율의 눈빛.

59씬 **N, 한강 다리 아래**
기다리고 서 있던 비서관. 그 옆으로 조용히 다가와 서는 선율.

비서관 (쓱 봉투 건네며) 좀 지켜봐.

선율, 봉투에서 꺼내 드는데 다름 아닌 수호의 사진.

선율   (처다보면)

비서관   최근에 뭘 받았다는데 그게 뭔지도 좀 알아봐.

그런 비서관과 선율의 은밀한 접선 모습을…
어디선가 숨어서 몰래 찰칵찰칵 카메라에 담는 사람. 한상이다.

카메라에 담긴 선율의 얼굴을 클로즈업하며 호기심 갖는 한상.
저 멀리 오토바이 타고 멀어지는 선율의 모습에서.

(F.O)

60씬   **(F.I) D, 수현의 집, 거실**

수현, 차분히 책을 읽고 있는… 그 위로 문자 수신음.
액정 '정진희 기자님'

기자 e   그 사건 담당 형사랑 연락이 닿았어요.
만나서 가해자에 대해 물어보고 연락드릴게요.

수현, 너무 고마운 마음으로 답 문자 보내는.

수현 e   감사합니다, 기다릴게요.

전송하는 그때, 울리는 휴대폰. 액정 '수호 씨'

수현   어, 수호 씨. (좀 의아해서) 오늘?

| 61씬 | D, 레스토랑 (철판 요리 전문점) |

수현, 에스코트 받고 들어서는데…

전문 요리사가 화려하게 불을 다루며 철판 요리를 만드는, 그때.

수호	(손짓) 어서 와.
수현	(앉으며) 오늘 무슨 날이야?
수호	날은 무슨. 그냥 당신하고 모처럼 외식하고 싶어서. 후배한테 추천 받았는데,
	여기가 MZ들한테 엄청 인기 있대.
수현	(둘러보며) 우리가 제일 나이 많은 거 아니야?
수호	당신이 제일 예뻐.
수현	(미소…)

그때, 환호하는 소리에 보면, 요리사가 펼치는 화려한 불 퍼포먼스.

수호와 함께 수현도 바라보는데…

아무 생각없이 보던 수현의 눈동자 위로 떠오르는 무언가.

플래시백   폐차장 (58씬)

선율, '확' 장작을 던지자, 불꽃들 튀는.

그 앞에서 뒤적이던 선율의 얼굴.

INS

| 시라 e | 불 공포증이 있었어요. (3화 9씬) |

순간, 굳어지는 수현의 눈동자.

수호	왜 그래?
수현	(그제야 정신 들고) 나 잠깐 화장실 좀.

cut to   동, 복도

머릿속을 가득 채운 선율 생각하며 계속 걸어오는 수현. 그 위로.

플래시백   N, 폐차장 사무실 (57씬, 수현의 시선)

선율, 얼른 셔츠 걸치는데 보이는 선율의 어깨. 깨끗하다.

현재

순간, 멈춰 서는 수현의 발걸음.

수현	(!) 흉터가 없었어.

기사 플래시백   (3화 23씬)

'왼쪽 어깨에 3도에 해당하는 심한 화상을 입어 영구적 흉터 (중략)'

더욱 요동치는 수현의 눈동자, 그 위로.

e	'드르륵' 문 열리는 소리와 함께.

62씬	**D, 민혁의 병실**

민혁, 막 환자복 벗는데, 문 열고 들어오는 사람, 선율이다.

선율	깨어났네.

민혁	(고맙기도 하고, 그래도 경계 늦추지 않으며…) 네가 나… 살렸다며?
선율	(…)
민혁	너, 정체가 뭐냐?

선율, 그제야 천천히 꺼내 건네는 것, 다름 아닌 형자의 일기장.
이게 뭐냐는 민혁의 눈빛에.

| 선율 | 네 거야. |

카메라, 서서히 민소매 차림의 민혁의 어깨를 잡는데, 화상 흉터.
그렇게 나란히 서 있는 두 사람의 발에 똑같은 운동화. (뉴발 530)
그렇게….

63씬 　　**D, 1405호 복도**

뚜벅뚜벅 걸어오는 선율의 발.
1405호 앞에 멈추어 서고는 올려다보는 선율의 눈동자.

64씬 　　**D, 1405호**

선율, 들어와 은민 옆에 앉는다…
물끄러미 바라보는 은민의 얼굴.

천천히 은민의 손 만져 보다가… 가만히 자신의 얼굴에 갖다 대는데…
그제야… 가슴 깊이… 차고 넘치는 슬픔으로….

선율   엄마….

　　　　　슬픔과 분노가 번지는 선율의 눈물 가득 찬 눈동자.

　　　　　VS.

수현   선율아… 너 누구니.

　　　　　더욱 흔들리는 수현의 눈동자.

6화 엔딩

WONDERFUL WORLD

원더풀 월드

- 7화 -

너,
도대체
누구니

1씬	N, 양평 펜션 화재 현장

1씬   **N, 양평 펜션 화재 현장**

화마에 휩싸인 펜션.

사이렌 소리 위로 소방대원들의 외침.

계속 들어오는 구급차들. 무전으로 다급한 지원 요청.

그때, 불길 속에서 소방대원, 어린 민혁을 품에 안고 데려 나오고.

구급 대원들, 황급히 어린 민혁을 들것에 눕히는데.

어린 민혁   (펜션 쪽으로 몸부림치며) 울 엄마 아빠 저깄어요! 엄마 아빠 좀 살려 주세요!

울부짖는 민혁의 다 타 버린 옷 사이로 벌겋게 데인 어깨.

점점 일그러지며 화상 흉터로 바뀌면서.

2씬   **(현재) D, 병실 (6화 62씬 확장 씬)**

민혁의 어깨 흉터로 오버랩 되고.

그 앞에 마주 선 선율.

그렇게 나란히 서 있는 두 사람의 발에 똑같은 운동화. (뉴발 530)

선율   깨어났네.

민혁   (고맙기도 하고, 그래도 경계 늦추지 않으며…) 네가 나… 살렸다며?

선율, 민혁의 어깨를 무심히 보다가….

선율   그때 다친 흉터냐.

민혁   (이 새끼, 나에 대해서 뭘 아는구나…) 너, 정체가 뭐냐?

선율, 그제야 천천히 꺼내 건네는 것, 다름 아닌 형자의 일기장.

선율   네 거야.

민혁, 긴장감을 늦추지 않으며 한 장씩 넘겨보는… 순간,
점점 민혁의 눈동자에 차오르는 살기.

<감히 바라건대… 나 따위를 기억하느라 누릴 수 있는 것들을 놓치진 말았
으면 좋겠습니다… 정말로 미안합니다… 미안합니다…>

에서… 멈추는 민혁의 손. 그 위로.

선율   교도소 안에서 죽었다더라. 죽기 전까지 매일 같이 너한테 용서를.

민혁   (O.L 무섭게) 누구 맘대로 뒈져?!

거칠게 일기장 던져 버리며, 선율의 멱살 잡고.

민혁   (눈 돌고) 너 뭐야, 이 년 아들이야?!

선율, 던져진 일기장 바라보다가….

선율   필요해서 잠깐 빌렸다가 이제 돌려준다.

멱살 잡은 민혁의 손, 가만히 떼어 내고는.

선율   퇴원 수속은 마쳤어. 힘들면 연락해. (가려는데)
민혁   (죽일 듯이) 뭔데 이러냐고, 새끼야!!

선율, 다시금 돌아보고… 엉망으로 살아왔을 민혁을 빤히 보다가….

선율   꼭, 나 같아서.

그 깊은 선율의 눈빛에서.

3씬   **D, 1405호 복도**
푹 눌러쓴 모자.
뚜벅 뚜벅 걸어오는 선율의 발.
1405호 앞에 멈추어 서고는 올려다보는 선율의 눈빛.

4씬	D, 1405호 (6화 63씬 확장 씬)

모자를 벗고… 은민 옆에 서는 선율.

물끄러미 바라보는 은민의 얼굴. 그제야….

5씬	(회상) 장례식

상복을 입은 선율, 목구멍까지 차오르는 울음을 참으며…

고개 들면…

저기, 영정 사진 속, 웃고 있는 지웅의 얼굴.

옆에는 가슴을 움켜쥐고 숨죽여 흐느끼는 은민.

선율의 눈에도 눈물 차오르는데

그때 밖에서 들리는 소란스러운 소리.

"어디 살인자가 뻔뻔하게!"

난동 피우는 사람들, 조화를 걷어차고. 장례식장 시끄럽게 만드는.

"죄 없는 어린애 죽이더니 벌 받았네!"

순간, 선율, 그 말에 눈 뒤집혀서 벌떡 일어나는데

은민, 부둥켜안으며 말리고….

은민	안 돼… 선율아… 참자… 우리 참아 내자….

흐느끼는 엄마 품 안에서 선율, 주먹 꽉 움켜쥐고….

6씬	(회상) D, 화장터

선율   (울부짖는) 아빠…!

         선율의 품에 안겨 있는 영정 사진 속, 지웅의 얼굴.
         선율, 유리 벽 너머, 화장로 안으로 관 들어가는 걸 보면서 절규하는.

선율   (벽을 치며) 아빠…! 아빠!!

         그 옆에서 은민도 함께 절규하고….

7씬   **(회상) D, 고등학교 소각장**
         선율, 바닥에 쓰러져 무차별 폭행을 당하고.

일진들   야, 이 새끼 살인자 아들이래!

         발길질 당하면서도 온몸으로 받아 내며 꾹꾹 참아 내는.
         그렇게….

         현재   1405호
         선율, 천천히 은민의 손 만져 보다가…
         가만히 자신의 얼굴에 갖다 대는데….

선율   엄마….

         가슴 깊이… 차고 넘치는 슬픔….

| 선율 | 아들이 자주 못 와서 미안해… 조금만 기다려. 곧 끝날 거야…. |

슬픔과 분노가 번지는 선율의 눈물 가득 찬 눈동자.

'쿵!' 블랙아웃.

타이틀 〈원더풀 월드〉

| **8씬** | **D, 레스토랑 (철판 요리 전문점) 건물** |

수현, 들어와 엘리베이터 앞에 서는데, 그때, 누군가.

| e | (반가워서) 어머, 은수현 씨? |

돌아보면, 시라다.

수현	(뜻밖의 만남에) 안녕하세요?
시라	잘 지내셨어요? 어떻게 여기서 뵙네요! 참, 그 화재 피해자는 만나셨어요?
수현	(선율을 떠올리며) 네 덕분에요. 그때 보내 주신 주소에 계속 살고 있었어요.
시라	(안도하며) 다행이다, 너무 옛날 정보라 도움 안 되면 어쩌나 걱정했는데. 일기장도 전해 주셨겠네요.

미소 짓는 수현. 미세하게 흔들리는 눈빛 위로.

시라   너무 다행이에요. 기회 되면 담에 또 봬요.

그렇게 남겨진 수현… 멀어지는 시라 쪽 서서히 바라보는데….
(실은 수현은 이미 이때 뭔가 이상한…)

9씬   **D, 레스토랑 (철판 요리 전문점) (6화 61씬 확장 씬)**
수호와 마주 앉은 수현, 수호와 대화하며 미소 지으면서도
문득문득 생각이 많아지는…
그때, 환호하는 소리에 보면, 요리사가 펼치는 화려한 불 퍼포먼스.
수호와 함께 수현도 바라보는데… 순간, 번쩍하고 떠오르는.

플래시백   폐차장 (6화 58씬)
선율, '확' 장작을 던지자, 불꽃들 튀는. 그 앞에서 뒤적이던 선율.

플래시백   N, 폐차장 사무실 (6화 57씬, 수현의 시선)
선율, 얼른 셔츠 걸치는데 보이는 선율의 어깨. 깨끗하다.

이게 뭔가 싶은… 흔들리는 수현의 눈동자에서.

10씬   **깊은 밤, 서재**
굳은 채 앉아 있는 수현의 눈동자로 오버랩 되며…
생각이 많아지는 수현, 그러다 천천히 서랍을 여는데,
시라로부터 받은 노란 봉투.

시라 e	부탁하셨던 피해자 상담 일지들 함께 동봉해서 퀵으로 보내 드릴게요.

그 여자가 보내 줬던 노란 봉투.
그 안에서 <피해자 신상 기록지> 꺼내 들면.

<이름 권선율 나이 스물 여덟 주소>

수현	(복잡해지는…) 분명 찾은 건 나였는데….

플래시백

시라	일기장도 전해 주셨겠네요. (8씬)

수현 e	그 사람은 어떻게 알았을까. 적어도 난, 일기장 얘길 한 적이 없는데.

더욱 흔들리는 수현의 눈동자. <이름 권선율>을 바라보며….

수현	너, 도대체 누구니.

순간 울리는 수현의 휴대폰.
액정 '선율'이라는 두 글자에… 차마 지금은 너와 마주할 수가….

선율의 전화를 뒤로한 채 창가에 선 수현.
그렇게 한참 동안…
창밖으로 깊어 가는 밤.

조금씩 밝아지는 하늘과 함께.

11씬　　**이른 아침, 긴 복도**

터벅터벅 걸어오는 발소리. 천천히 올라가면 선율이다.

'똑똑' 노크와 함께 방으로 들어가는 선율.

"선율아~" 문 사이로 반갑게 맞이하는 얼굴, 다름 아닌, 시라다.

닫히는 문. <김시라 교수실>

12씬　　**D, 수현의 집 외경**

13씬　　**D, 다이닝 룸**

수현, 커피머신을 누른 채 생각을 정리하는… 그때.

수호　　(들어오며) 일어났네?

수현　　어. 일찍 깼어.

수호, 수현과 함께 마주 앉으며.

수호　　(살피며) 요즘 통 잠을 잘 못 자네? 어제도 한숨도 못 자는 거 같던데, 뭐… 신경 쓰이는 일 있어?

수현, 그런 수호를 바라보는 그 순간, 수현의 휴대폰 문자 수신음.

발신인 '선율'

수호, 그걸 바라보는 수현의 눈빛을 놓치지 않고.

수호	(휴대폰 보며) 누구?
수현	형자 언니가 찾아 달라던….
수호	(좀 의외라) 일기장 전해 줬음 됐지 걜 아직도 신경 써?
수현	(선율을 생각하며 차분해지는…) 상처가 깊은 애니까.
	마음이 쓰였나 봐.
수호	당신 마음은 알겠는데, 이제 그만 챙겨. 솔직히 신분도 잘 모르는데 걔가 어떤 앤 줄 알고. (좋게) 씻고 나올게.

수현, '이제 그 애가 어떤 앤지… 내가 정확히 직시해야겠다.'
휴대폰을 내려다보는 수현의 눈빛, 어쩐지 조금씩 단단해지는.

14씬   D, 병원, 1405호 복도

수진, 간호사 스테이션에 인사하며 걸어오는.
그렇게 1405호 문 열고 들어가는데.

cut to   1405호
간병인, 막 은민을 눕히는 중이고.

수진	안녕하세요!
간병인	오셨어요? 막 옷 갈아입히고 이제 가려던 참인데. (은민 보며) 심심하진 않으시겠어요.
수진	(미소) 네, (속닥거리며) 제가 좀 수다스럽거든요~
간병인	(웃음) 가 볼게요.
수진	감사합니다, 여사님!

간병인 나가면, 수진, 그제야 은민 옆에 앉아 머릿결 넘겨주고는.

수진   아줌마, 엊그제 왜 그랬냐. 선율이 놀래켰다며.
        개, 엄마 잘못되는 줄 알고 며칠 동안 밥도 못 먹었다.

은민   (…)

수진   이건 아줌마랑 나랑 우리 둘 사이 비밀인데…
        그 똥멍충인 내가 지를 친구로 좋아하는 줄 아는데, 나 진짜 누구든 선율이
        아프게 하면 못 참아.
        그러니까… 얼른 일어나요.

은민   (…)

수진   자, (새끼손가락 걸고) 약속.

15씬   D, 1405호 앞 복도

태호, 피곤한지 하품하며 잠 깨려고 뺨도 툭툭 쳐 보고.
차트 보며 걸어가는 그때 '어어? 조심하세요?' 소리에 고개 드는데,
코앞으로 병원 용품 가득 실은 카트 다가오고.
깜짝 놀라 뒷걸음치다 스텝 꼬여 넘어질 뻔한 태호를…
막 1405호에서 나오던 수진, 받아서 안아 주는데.

수진   (내려다보며) 괜찮으세요?

태호   (안긴 채) 헉.

그만 가까이 있는 수진에 놀라 발버둥 치다 쿵 엉덩방아 찧는.

태호   (벌떡 일어나며 횡설수설) 그게, 너무 가까이 계시니까, 어지러워서.

수진, 그만, 그 모습에 웃음 나고
태호도 머쓱해서 같이 웃어 버리고는.

태호	(1405호 보며) 병문안 오셨나 봐요? 수진 씨.
수진	네. 근데, 제 이름 기억하시네요? 강태호 선생님?
태호	(가운에 단 수진의 하트 톡톡 두들기며) 볼 때마다 생각나던데요?
수진	(기분 좋고… 그러다 태호의 얼굴을 살피며) 못 주무셨어요? 다크써클이 턱까지.
태호	(머쓱) 아, 수술실에서 지금 나오는 바람에.
수진	그럼 식사도 못하셨겠네, (얼른) 이거라도. (하면서)

쇼핑백에서 도너츠 건네고.

태호	(얼른) 아니에요. 수진 씨 드세요.
수진	저야 가면서 또 사면 되죠. 자요.
태호	(머쓱) 그럼… 고맙습니다.
수진	또 봬요~

그렇게 미소로 인사하고 멀어지는 수진.
태호, 수진이 주고 간 도너츠를 보는데 모양이 하트.

태호	(왠지 좀 심쿵…) 볼 때마다 하트를 주네… 하트 시그널인가…?

괜스레 기분 좋아서 도너츠와 함께 사진 찰칵. 인스타에 올리는.

#다크써클 #배고픔 #하트 시그널 #설렘

cut to   동

걸어오는 수진 위로 문자 수신음.

태호 e   도너츠에 대한 보답으로 다음엔 제가 밥 사겠습니다. 이건 제 번호.

수진, 오케이. 선율에게 문자 보내며.

[오늘의 임무 완료, 다음 계획은 데이트 하기로 함]

수진   (전송 누르며) 확 질투나 했으면 좋겠네.

휴대폰 액정 화면 속 함께 찍은 선율을 좋게 흘겨보다⋯ 걸어가는.

16씬   D, 부부의 방
수호, 막 씻고 들어오는데, 수현, 좀 차려입고 화장까지 한 모습에.

수호   외출해?
수현   응. 당신도 준비해.
수호   (의아해서) 어디 가려고?

17씬   D, 한의원 입구
수호, 명희를 데리고 오고.
기다리고 서 있던 수현과 고은, 두 사람을 맞이하는.

고은	(얼른) 안녕하셨어요. 사부인.
명희	(불편한 기색 숨긴 채) 안녕하셨어요. 무릎이 많이 안 좋으시다고요?
고은	나이 드니 자꾸만 고장이 나서… 자식들한테 염치없게요.
명희	그런 말씀이 어딨어요, 아프고 싶어서 아픈가요. (그래 놓고는 수호에게) 넌 어머
	니나 모시고 오라니까 뭐 하러 나까지 오라고 해.
수호	제가 아니고, (수현 보며) 수현이가 두 분 모시고 싶다고 한 거예요.
명희	(수현 쪽 힐끔)
수현	(좋게) 그동안. 며느리로서 딸로서 제대로 못 챙겨 드려서요.
	이제부터라도 두 분께 더 잘하려고요.

그런 수현의 단단한 모습에 명희도 고은도, 수현을 바라보고.

수호	(역시 수현을 바라보다가…) 들어가시죠.

그렇게 수호를 따라 들어가는 가족들… 그 위로, 카메라 셔터음.

18씬   **D, 한의원 진료실**

무릎을 진료 받는 고은 옆에 동행한 수현.
한의사가 설명하는 엄마의 무릎 상태에 귀 기울이고.

19씬   **D, 한의원 치료실**

전기 자극 물리 치료 받는 고은. 그 옆에 앉은 수현을 물끄러미….

수현	(미소) 왜 그렇게 봐요.

| 고은 | 글쎄 뭔가 씩씩해서 보기 좋긴 한데, 어쩌 좀 달라 보여서. |

수현, 그런 고은 손 꼬옥 잡아 주고는.

| 수현 | 엄마, 그동안은 다들… 나를 기다리고 지켜 줬으니까, 이젠 내 차례야. |
| | 우리 가족한테 아무 일도 일어나지 않도록, 내가 지키려고. |

고은, 그런 수현이 기특하기도 하고 어쩐지 좀 걱정스럽기도 하고.

20씬   D. 한의원 대기실

명희, 막 치료실에서 나와서는, 책 읽으며 앉아 있는 수호 옆에 앉고.

명희	(혼잣말처럼) 아들이 의산데 한의원엘 왜 와.
수호	(좋게) 병원엔 태호가 모시고 가잖아요. 영양제도 드시고 공진단도 드시고 다
	드시면 좋지 뭘 그래요. 수현이가 엄마 생각해서 그런 걸.
명희	(눌러보다가…) 뉴스 보니까 너 피곤해 보이더라. 너나 잘 챙겨. 그런 건 집에 있
	는 사람이 신경 써야 하는데.
수호	저희 서로 잘 챙기니까 걱정 마세요.

끝까지 수현의 편을 드는 수호를 쳐다보던 명희.

명희	(문득…) 너는 수현이가 그렇게 좋니.
수호	받아 주기로 하셨으면서 왜 또 그러세요.
명희	궁금해서. 1, 2년 산 것도 아니고, 살 만큼 살았는데.
	거기다 그렇게 엄청난 일까지 있었는데도… 그렇게 좋아?

| 수호 | (그 말에) 솔직히. |

명희, 어디, 뭐라 그러나 보자 싶어서 수호를 빤히 바라보는데.

| 수호 | 엄마가 더 좋아했잖아요. |

순간, 명희, 말문 막히고… 생각해 보니… 그 일만 아니었으면…
마침, 나오는 수현과 고은의 모습에….

| 수호 | (얼른 일어나며 고은에게로) 다 끝나셨어요? |

수현도 묵묵히 명희를 챙기며 함께 나가는…
그런 수현을 보는 복잡한 명희의 눈빛. 한때는 내가 참 좋아했던….

21씬   D, 도로, 수호의 차 안
운전하던 수호, 가만히 수현의 손을 잡고….

| 수호 | 고마워. 당신 덕분에 모처럼 나도 효도한 거 같아. |
| 수현 | (그런 수호를 바라보다가…) 당신한테도 내가 더 잘할게. |

그 말에 수호… 뭔가 고맙고 또 미안하고….

| 수호 | 이 이상 어떻게 더… 내가 잘해야지. |

그때, 수현의 문자 수신음. '정진희 기자'

기자 e	부탁하신 김은민 씨 사건 담당 형사 연락처 보내 드려요.
수현	수호 씨, 나 저기서 좀 세워 줘.
수호	왜?
수현	어디 좀 들릴 데가 있어서.

갓길에 세우는 수호의 차.

| 수호 | 근처에서 기다리고 있을게. |
| 수현 | (좋게 가로젓고) 그럴 거 없어. 운전 조심해. |

컷 튀면.

출발하는 수호의 차.
수호, 백미러 속 걸어가는 수현의 모습에… '어디 가나…?'
그때, 울리는 휴대폰. 액정 '이한상'

| 수호 | 어, 형! 뭣 좀 알아냈어? |

컷 튀면.

수호의 차, 저 앞에서 급 유턴하고. 그 뒤를 따라붙는 차 한 대.

| 22씬 | D, 국밥집 앞 |

수호, 차 세우고 주변을 두리번대며 국밥집으로 들어가는. 그 위로,
카메라 셔터음.

cut to 카메라 앵글

저기 국밥집 구석에 앉아 있는 한상 쪽으로 가 앉는 수호의 모습.

계속 카메라에 담기고.

화면 빠지면.

23씬 **D, 차 안**

그동안 수호를 쫓아다니며 찍고 있던… 무심한 선율의 눈빛.

24씬 **D, 국밥집**

한상, 소주에 국밥 후루룩. 국밥집에는 한상과 수호 두 사람뿐.

대각선에 앉은 수호 쪽으로 쓰윽 카메라 밀고는.

한상 김준 비서관 쪽 털면 뭐가 나올 거 같아서 계속 파 봤어.

수호, 디카 가져와 쓱쓱 넘기며 확인하는.

cut to 카메라 화면

김준, 휠체어 탄 장애인들과 눈높이 맞추며 대화하는 모습.

김준이 한국연합당 의원들과 악수하는 사진.

시민들, 김준에게 환호하는 사진.

김준 옆을 밀착 수행하는 비서관 사진.

김준의 차 조수석에 타는 비서관 등등.

그러다 마지막 사진, 비서관과 함께 접선 중인 선율. (6화 59씬)

수호	얜 뭐야?
한상	그냥 김준 따까리 중 하난 거 같아서 알아봤거든.
	근데, 김준 가시는 길에 돌부리 치우는 게 이놈 같더라?
수호	(?)
한상	얼마 전 최주석 의원이 갑자기 경선 후보 사퇴하고 김준 쪽으로 붙었잖아.
	돌아가는 꼴이 수상해서 알아봤더니, 마약 파티한 걸 찍혔다는 소문이 있어.
수호	(눈빛) 그걸, 찍은 놈이 얘다?
한상	응. 최주석 쪽에서 얘 미행까지 붙였다가 실패했나 봐.
	엠바고 걸린 손 의원 비자금 건도 얘가 찍은 거 같고.
	사진이 주 전공 같아.

그 소리에 수호, 사진 속 선율을 눌러보고.

수호	혹시, 내가 받은 사진도 이놈 아냐? 김준이 시켜서.
한상	계속 팔로우 해 볼게.

수호, 어쩐지 촉이 그럴 거 같아서 다시 사진 속 선율을 보는 눈빛.

25씬   D, 접선 장소

선율, 세워져 있는 세단 차창 노크하면, 내리는 창문 안으로 비서관.
선율, 카메라 SD 메모리 카드 건네면.

비서관	수고했어. (돈 봉투 건네며) 부탁한 돈.
선율	(받아 들고)
비서관	근데, 갑자기 목돈은 왜 필요해?

선율   (거기에 대한 대답은 하지 않고) 고맙습니다.

묵묵히 자리 뜨는 선율.

26씬   **D, 민혁의 낡은 아파트 계단**
            민혁, 라면 하나 들고 슬리퍼 찍찍 끌고 올라오는데,
            옆구리가 아픈지 멈추고 찡그리는 그때, 휴대폰 울리고.
            액정 '실장새끼'

민혁   (하…씨, 받으며) 아, 갚는다니까!
실장 e   야, 부모 형제도 없는 새끼가, 너 호구 하나 잡았더라?
            네 사채 빚 싹 갚아 주고 갔다?
민혁   (?)

그때, 저기 민혁의 대문 앞에 선율, 햇반 한 박스 툭 내려놓고.
계단을 내려오다 민혁과 눈 마주쳤고.
외면하고 내려오는 선율의 얼굴 위로.

실장 e   또 돈 필요하면 연락해라.

민혁, 끊고는 내려오는 선율을 묘하게 쳐다보다가.

민혁   일기장 빌린 값 치고는 꽤 크다?

순간, 선율, 민혁의 가슴팍에 뭔가 탁 들이밀고, 그 바람에 민혁, '헉!'

선율	도박 끊어.

민혁, 펼쳐 보면, 테이프로 붙여 놓은 신체 포기 각서. (6화 39씬)
<상기 명시된 금액을 모두 변제하였으므로 해당 내용은 폐기한다.>
채무변제확인 도장 찍혀 있는.

민혁, 사라진 선율 쪽 바라보는 눈빛.

27씬   **D, 경찰서 일각**

수현, 형사와 마주 앉았고.

형사	김은민 씨 사고는 보행자가 무단 횡단한 걸로 종결된 지가 언젠데요.
수현	사고 시간을 보니 새벽도 아닌데 목격자가 없었나요?
형사	네. 그래서 좀 빨리 마무리 된 감이 있긴 했죠.
수현	가해자는… 지금 어떻게 지내나요?
형사	못 알려 드리죠. 뭐 알 수도 없고요. 사고 낸 직후에 그 가족 전부 이사 간 건 알아요.
수현	(…)
형사	근데, 김은민 씨 사고에 왜 그렇게 관심이 많으세요?
수현	(잠시 바라보다가…) 그 아들이 계속 파고 다녔다는 얘길 들었어요.

28씬   **D, 수현의 집, 서재**

수현, 들어와 노트북 앞에 앉고.

형사 e   맞아요, 자기 엄마 억울하다고 청원도 올리고 아마 인터넷에 글도 엄청 썼을 걸요?

잠시 생각하다 <세현동 무단 횡단 사고> 검색해 보는.
그중 <교통사고 피해자 카페>에 올라온 글이 눈에 띄고, 클릭하면.

cut to   화면
<지난 달 10일 발생한 세현동 교통사고 목격자를 찾습니다.>

어머니가 교통사고로 현재 중환자실에 계십니다. 운전자는 초록불이 켜진 신호를 무시하고 횡단보도 아래쪽으로 건너던 어머니를 치었습니다. 근처에 CCTV도 없고 사고 운전자 차량의 블랙박스도 고장이 나서 운전자의 증언만으로 사건이 종결되었습니다. 목격자나 제보 영상을 찾으려는 노력조차 하지 않고 말입니다. 지금 저에게 남은 가족이라곤 어머니뿐입니다. 도와주세요.

수현, 선율이 같은 글을 여기저기 올려놓은 걸 확인하고.
달려 있는 댓글들 빠르게 서치하는 눈빛 위로.

'무단 횡단이면 어쩔 수 없네요.'
'운전자 차량 블랙박스도 고장이면 판결 뒤집긴 힘들 것 같아요.'
'안타깝네요 쾌유를 빕니다.'
'그러게 왜 무단 횡단을….'
'급커브에 그 속도면 살인 아닌가요.'
'횡단보도에 초록 불 들어왔음 서야지, 신호 무시한 그 차 잘못이죠.'
'나도 횡단보도 아래로 건널 때 많음. 어머니가 재수가 없었네.'

'이런 사건은 빠른 영상 확보가 중요한데…'
'어머니 빨리 깨어나시길 바라요.'

그 순간, 눈에 들어오는 댓글.

'제 한국대 의대 동긴데 청원 글에도 동참해 주세요. 착한 친구라 안타깝네요.'

수현, '의대'에 시선 꽂히고.
지웅의 아들이… 의대생이라….

창가로 와 서는 수현. 생각을 가다듬는데….

플래시백 은민을 CPR 하던 선율의 모습. (6화 4씬)

수현, 애써 마음을 가다듬고는 전화 거는데.

수현   태호야. 점심 같이 먹자. 언제가 좋아?

서늘해지는 수현의 눈빛.

29씬   **N, 어두운 공간**
수현의 독사진(한의원 앞에서 찍은)을…
수호의 사진들(오늘 쫓아다니며 찍은) 속에서 집어 드는 선율.
무심히 수현의 얼굴을 바라보다가… 건조대에 꽂는데.
그 모습에서 카메라 쫙 빠지면,

암실이었다.

건조대에 죽 걸린 사진들.
환하게 웃고 있는 수현과 수호와 건우.
각종 수현의 이력 사진.
교도소 운동장에 죄수복 입은 수현과 형자의 사진.
교도소 문밖으로 걸어 나오는 수현, 수현, 수현, 수현, 수현….

바로, 선율의 공간이었던 것.

암실을 가득 채운 '수현'의 얼굴… 그 한 가운데 서서
서늘하게 고개 드는 선율의 눈빛에서.
(F.O)

30씬   (F.I) D, 대학교 외경

31씬   D, 대학교 강의실

<꿈꾸는 청년들을 위한 국회의원 김준 특강> 플래카드 걸려 있고.
강의실 가득 메운 학생들. 자리가 없어 바닥에 앉거나 뒤에 서서 듣고
열린 문밖으로 복도에서도 김준의 강의 경청 중인.
마이크 잡은 김준, 열심히 얘기하다가도 웃으면서 농담 던지면 객석에서 터
지는 웃음.

32씬   D, 학생 식당

김준, 손수 학생들에게 배식도 해 주고. 하이파이브도 하고.
학생들 속에서 같이 급식 먹으며 대화도 하고.
자유로운 분위기 속 김준의 모습.

33씬　　　**D, 홍어집 앞**

검은 세단들 좍 깔려 있는 가운데,

수호, 그 앞에 멈추어 서면, 비서관이 정중하게 목례하고.

34씬　　　**D, 홍어집**

수호, 비서관의 안내를 받고 들어오는데.

김준　　(식사하다 말고, 반갑게) 아이고 죄송합니다. 바쁘신 분을 여까지 오게 하고. 앉으이소. 내 젊은이들 비위 맞출라 카이 배가 금방 꺼져가 먼저 시작했십니다.

수호　　(앉고)

김준　　(소주 들며) 한잔하겠십니까.

수호　　우리가 술잔 기울이며 소회 나눌 사이는 아니지 않나요.

김준　　내 이래 강 국장을 좋아합니다. (홍어 한 젓가락 집어 들고는) 내는 요 홍어에서도 코를 제일 좋아합니다. 톡 쏘는 맛이 별미인기라. (씹는)

수호　　용건이 뭡니까.

김준　　잔칫상에도 홍어가 빠지면 상다리가 휘어져도 먹잘 것 없다 카데요, 내 이번에 잔칫상 좀 차릴라 카는데 함께 안 하실랍니까.

수호　　(헛웃음) 나더러, 의원님의 홍어가 돼 달라, 뭐 그런 말씀입니까.

김준　　(껄껄 웃으며) 내 우리 캠프 야경 쥐는 데다 강 국장 방 하나 꾸며 볼라 카는데. 방송 밥 이제 물릴 때도 됐을 긴데 밥상 한번 바꿔 보입시다.

수호	(낮은 미소) 뜻밖이네요? 의원님 배에 올라타고 싶어 안달 난 사람들이 줄을 섰을 텐데. 왜 하필 저죠?
김준	대학생들까지 좋아하대요? 뭐라 카더라? 국민 남편이라나?
수호	(순간 굳어지고…)
김준	거 아내분만 너~무 사랑하지 마시고, 국민들 살기 좋은 세상, 내하고 한번 만들어 보입시다. 이제 고마, 나랏밥이 얼마나 단지 무 봐야 안 되겠십니까.
수호	(실소) 뜻, 감사하지만 거절하겠습니다. 제가, 단 걸 별로 안 좋아해서. (일어나며) 그럼, 그 단 밥, 의원님 많이 드시고 전 이만.

나가려다 멈칫. 다시 돌아보고는.

수호	(정중하게 예의를 갖춰) 아, 제가 제일 싫어하는 음식이 홍어입니다.

까딱, 목례하고 나가는 수호의 뒤통수에다 대고.

김준	강 국장은 반드시 내한테 올깁니다~ 우리 내기 할까요?

나가는 수호의 모습에 김준 비릿한 미소.

김준	갖고 와 봐라.

비서관, 얼른 아이패드 대령하면,
선율이 쫓아다니며 찍은 수호의 사진들. 그중, 한상과 함께 한 사진.

김준	(묘한 눈빛으로) 인연이 질기네.

35씬 D, 홍어집 앞

수호, 나와 서서는, 감정 꾹 누른 채 걸어오는 눈빛… 그 위로.

수호 e 형, 내가 왜 이 악물고 여기까지 올라온 줄 알아?

플래시백 국밥집 (24씬)

수호, 한상과 마주 앉은.

수호 김준만 아니었으면 우리 건우 죽인 놈 그렇게 쉽게 못 나왔고 그랬음, 수현이한테 그런 일도 안 생겼어. (어금니 꽉) 그땐 아무것도 못 했지만, 이번엔 끝까지 갈 거야.

한상 그 새낀? 너보다 더 올라갔어, 솔직히 도와주고는 있다만 걱정은 된다. 부영동 땐 너나 나나 옷 벗은 걸로 끝났지만, 김준 어떤 놈인지 네가 더 잘 알잖아.

수호 그땐 우리가 너무 맨손으로 덤볐고, (눈빛) 나한테도 그 새끼 숨통 조일 목줄 하나가 생겼거든.

한상 그게 뭔데?

수호 (목소리 낮추고) 김준, 혼외 자식이 있어.

한상 (흠칫, 이내 곧) 뭐 그렇게 놀랄 일도 아니다. 그걸로 될까?

수호 김준 돈세탁을 해 주고 있는 게 그 내연녀면?

한상 (눈 커지고) 누군데? 증거 확보했어?

수호 거의 다 왔어. 형, 나, 수현이 두고 미국 가서 악착같이 쌓아 올린 거, 다 무너져도 상관없어. 김준 그 새끼, 대통령 되는 거 막을 거야.

의지가 타오르는 수호의 눈빛에서.

현재

수호, 홍어집을 돌아보는 눈빛으로 오버랩 되며…
그렇게 다시금 걸어가는 옆으로 마침 스쳐 지나치는 사람. 선율이다.
찰나 눈이 마주치는 두 사람. 순간, 수호의 발걸음 멈칫.

플래시백   한상의 디카 속 선율. (24씬)
얼른 돌아보는데, 홍어집으로 들어가는 선율의 모습에…
'저것들 뭐지?' 쳐다보는 수호의 눈빛.

36씬 **D, 홍어집**

김준 얌마! 이기 얼마 만이고.

90도로 인사하는 선율, 천천히 고개 들어 김준을 바라보는… 위로.

37씬 **(회상) 장례식장 (5씬 확장 씬)**

상복을 입은 선율, 목구멍까지 차오르는 울음을 참는데…
그때 밖에서 들리는 소란스러운 소리.
"어디 살인자가 뻔뻔하게!"
난동 피우는 사람들, 조화를 걷어차고. 장례식장 시끄럽게 만드는.
"죄 없는 어린애 죽이더니 벌 받았네!"

순간, 선율, 그 말에 눈 뒤집혀서 벌떡 일어나는데
은민, 부둥켜안으며 말리고….

은민   안 돼… 선율아… 참자… 우리 참아 내자….

흐느끼는 엄마 품 안에서 선율, 주먹 꽉 움켜쥐고…
그때였다.
소란 피우던 소리 사그라지고 어쩐지 공기가 달라지는.
선율, 은민과 함께 천천히 돌아보는 곳.

엄청난 인력의 경호원들, 일사분란하게 무너진 화환들을 치우고.
더 많은 화환들로 착착착 채우는.
난동자들 끌고 나가고.
양쪽으로 주루룩 끝없이 경호하며 늘어서는 그 사이로.

서서히 걸어오는 사람, 김준이다.
그 뒤를 따라붙는 비서관과 경호원들.
장례식장 안에 사람들 모두 숨죽인 채 긴장하는. 일부는 수군.

김준, 지웅의 영정 사진 앞에 서고.
향을 피우고 잠시 지웅을 바라보는 눈가에 깊은 슬픔이 차오르고.
그렇게 묵념하는….

그 모습을 바라보는 선율.
김준, 천천히 다가와 은민에게 조의를 표하고 선율을 바라보는데….

김준   걱정 마라. 이제 이 아저씨가 네 아버지 노릇 해 주꾸마.

현재

김준, 서 있는 선율의 모습을 먹먹하게 바라보다가….

김준	앉아라.
선율	(시키는 대로)
김준	니 밥은?
선율	먹고 왔습니다.
김준	안 본 사이 인물이 마 더 훤칠해졌네. 어무이는 좀 어떻노.
선율	(…)
김준	참말로 야속하대이, 아들 생각해서 고마 일어나시재.
선율	건강은 좀 어떠십니까. 의원님.
김준	마, 우리끼리 있을 땐 하던 대로 해라. 뭔 놈의 의원님이고. 아저씨라 캐라.

김준, 술잔 들면 선율, 얼른 그 잔 채우고.

김준	(눈빛) 니 일 잘한다매.
선율	(…)
김준	내 하나도 안 반갑다. 의대까지 들어간 놈이 와 내 밑에서 이러노. 그 좋은 머리 그만 썩히고 의대 다시 드가라. (따스하게) 이 아저씨가 학비 대 주꾸마.
선율	여기서 더는 폐 끼치고 싶지 않습니다.
김준	(쯧) 니는 그게 문제다. 힘들면 손도 벌리고 기대기도 하고, 사람 사는 거가 별 거가? 내 정치 한다꼬 나라 살림 쪼매 해 보이까네 나랏일이 별게 아인기라, 니 같은 똑똑한 인재 키우는 게 그기 나랏일이다.
선율	(묵묵히 듣는…)
김준	이카고 있는 거 니 어무이가 보믄, 오야, 내 아들 잘한다, 이랄 거 같나.

선율	어머니 병원비 도와주시는 걸로 이미 충분합니다.
김준	쯧쯧쯧. 내 니 아까워 그러재.
선율	(…)
김준	선율아.
선율	네.
김준	니 아부지는 그리 허무하게 갔지만 니 어무이는 지켜야 될 거 아이가. 그러려면 네가 정신 똑디기 차려야 한다. 니 부모 그리 만든 사람, 미워하는 데 인생 낭비하면 뭐 하노.
선율	(보면…)
김준	내 니 맘 모르는 줄 알았재?
선율	(…)
김준	청와대만 입성하면 니 억울한 거 다 갚아 줄 테이, 괜히 허튼 짓 하지 말고 내만 믿어라. 내 니한테 반드시 힘이 되주꾸마.

선율, 진심으로 감사한 마음으로 김준을 바라보는….

(시간 경과)

혼자 남겨진 선율. 김준이 앉았던 자리를 무심히 바라보는….

38씬   **D, 청담 숍**

유리, 이리저리 바삐 움직이며 직원들과 1주년 행사를 준비하는,
디스플레이 되지 않은 의류들과 골프 모자, 양말, 가방, 소품들 보며.

유리	이건 이쪽에다 디스플레이하고, 이건 저쪽으로.

성 프로	(다가와) 초대장 샘플 시안 나왔어요.
유리	(보면서) 이대로 가자. VIP 명단은?
성 프로	지금 리스트 뽑고 있습니다. 나오면 직접 전달 예정이고요.
유리	음식은?
직원 1	SV 케이터링에 음식들은 핑거푸드 위주로, 음료는 논알콜 샴페인, 탄산수, 생과일주스로 부탁했습니다.
성 프로	(O.L) 아, 진행은 아나운서 김태영 씨가 해 주시기로 했어요.
유리	오케이, 기념품이랑 음악 섭외 마무리하고, 특히 배우 한우영 너튜브 하는 거 알지? 잘 챙겨.
직원들	네!

39씬 D, 사무실

유리, 막 자리에 앉고 한숨 돌리고는… 다시금 서류 꼼꼼하게 살피는데… 문득 떠오르는….

플래시백 유리, 수호의 따귀를 때렸던. (5화 52씬)
그날의 기억에… 또 마음이 안 좋아지는…
휴대폰 집어 들고 잠시 바라보다가… '관두자.'
도로 엎어 버리는.

40씬 D, 성신 봉안당

누군가 걸어와 멈추어 서는 발.
단지에 같은 사망일(2003.09.21.)이 적힌 민혁의 엄마와 아빠.

그 앞에 놓인 위패.

<양평 펜션 방화 피해자 두 분의 명복을 빕니다 - 대전 피해자 지원센터>

천천히 올라가 보면, 수현이다. 그 눈빛 위로.

e   문의하신 피해자 분들은 성신 봉안당에 모신 걸로 확인됩니다.

수현, 서서히 바라보는 곳.
젊은 부부 사이에 어린 남자아이(민혁) 사진.

41씬   D, 터프팅 공방
수진, '탕탕탕!' 터프팅 공예 중인. 그때, 문 열리는 소리에.

수진   어서 오세요! (순간 눈 커지며 반가워서) 이모!

앞에 서 있는 사람, 시라다.

컷 튀면.

수진   (놀라서) 선율이가 이모한테 갔었다고?
시라   응. 그 화재 피해자 지금이라도 치료 받을 수 있는지 물어보더라.
수진   (참내… 생각할수록) 기분 나빠.
시라   뭐가.
수진   선율이랑 그 여자, 자꾸 얽히잖아.

시라	은수현 씨?
수진	어.
시라	묘하게 닮은 구석이 있어 두 사람… 상처 때문인가.
수진	(발끈) 나는 뭐 상처 없어? 선율이야 아픈 사람 나 몰라라 못하는 성품이니까
	그렇다 쳐! 그 여잔 왜 선율이한테 오지랖인데? 뭐 돼?!
시라	만나 보니 좋은 사람 같아. 수진아, 이모는… 그 여자한테 안 그랬으면,
수진	(말 막으며) 아니. 그 여자 선율이한테 악연이야.
	(단호한 눈빛) 선율이한테 악연이면 나한테도 그래.

42씬 **D, 성신 봉안당**

수현, 마음을 좀 추스르며… 저 멀리 바라보며 앉아 있는… 그때,
울리는 휴대폰. '선율' 잠시 바라보다… 다잡고는….

수현	여보세요.
선율 e	바빠요?
수현	(…)

cut to   식당 / 봉안당 (통화 / 교차)

선율	밥 안 먹었음 같이 먹을래요? 나, 영성시장 입구 식당에 있는데.
수현	(영성시장 소리에 굳어지며) … 어디?

선율, 점점 카메라 빠지면, 선율 앞에 찌개 내려놓는 사람, 고은이다.

고은	(엄마처럼 따스하게) 많이 먹어.

선율	(고은을 향해 씩씩하게) 감사합니다! 푸르네봄식당이요. 안 올래요?

수현, 점점 차가워지는 눈동자.

43씬   D, 고은의 식당

선율, 시계 보며 기다리다가… 입 닦고 일어나며.

선율	사장님, 오늘도 잘 먹었습니다!
고은	(가려는 선율을 보며) 왜? 친구 온다며.
선율	안 오려나 봐요. 다음엔 꼭 데리고 올게요?
고은	(등 토닥여 주며) 그래. 항상 오토바이 운전 조심하고.
선율	(그런 고은을 낮은 미소로 바라보는…)

44씬   D, 폐차장

선율, 들어오는데, 용구, 기름때 묻혀 가며 일하다 말고.

용구	어디 갔다 와?
선율	일이 좀 있어서.
용구	(끌어당기며 호기심 가득) 근데 누구냐?
선율	뭐가?
용구	(사무실 눈짓으로 가리키며) 분위기 쥑이시던데?

선율, 그 소리에 설마 하고 사무실 쪽 바라보면.

| 45씬 | **D, 폐차장 사무실** |

들어서는 선율 앞에 기다리고 앉아 있는 수현의 모습.

| 선율 | (조금 흠칫) |

수현, 그런 선율을 복잡한 마음 숨긴 채 바라보다가….

수현	식사는… 잘 했니.
선율	(애써 아무렇지 않은 척) 네.
수현	거기, 우리 엄마 식당이야.
선율	아, 그래요? 나 거기 단골인데.
수현	(본다…)
선율	근데, 식당으로 오라 했더니 왜 여기로 왔어요?
수현	좀 멀리 있었어. (똑바로 선율을 보며) 네 부모님 봉안당에.
선율	(그 소리에 역시나 수현을 똑바로 보며) … 거긴 왜요.
수현	나라도, 대신 사과드리러.
선율	(…)
수현	(자리에서 일어나고는…) 늦었다.
선율	내 문자 봤어요?

수현, 다시금 선율을 돌아보는 눈빛… 많은 걸 담은 채….

| 수현 | 조만간 연락할게. |

그렇게 나가는 수현의 뒷모습을 선율도 바라보고.

46씬　　**D~N, 어딘가 주차된 수현의 차**

수현, 한참을 앉아 있는 뒷모습.

수현의 어깨 위로 해가 지고 노을이 깔리고 어둠이 내릴 때까지…

움직임도 없이… 그렇게 오랫동안….

(사실… 폐차장에서 뭔가를 보고야 만…)

47씬　　**N, 고은의 식당 (영업시간 끝난)**

유리, 테이블에 반찬들 나르고.

그때, 문 열리며 들어서는 수현의 모습에.

유리	언니!
고은	(그 소리에 주방에서 나오며, 반가워서) 연락도 없이 무슨 일이야?
수현	(담담한 미소로) 엄마 보고 싶어서. 유리도 있었네?
유리	응. 맨날 야근했더니 당 떨어져서. 내 당 충전은 울 엄마 손맛이잖아.
고은	(미소)
수현	(선율에 대해 묻고 싶지만…) 엄마, 오늘 별일… 없었지?
고은	별일 있었지. 딸이 하나도 아니고 둘씩이나 보고 싶다고 왔는데~
	엄마 오늘 계 탔네.
유리	(장난스럽게 고은에게 안기고)

수현, 두 사람 모습에… 다시금 마음 굳건하게 다잡는 눈빛.

(디졸브)

테이블에 내려놓는 연포탕. 고은, 막 뚜껑 열고.

유리	와! 냄새 미쳤다! (그때)

e	어머니!

돌아보면, 수호다.

수호, 순간 테이블에 앉아 있는 유리를 보고는 멈칫.

유리도 굳어지고.

수현	수호 씨?
고은	(미소) 내가 전화했어. 딱 맞춰 왔네. (입구에 어색하게 서 있는 수호를 보며) 왜 안 들어와?
수호	(맘 같아선 도로 나가고 싶다만, 수현과 고은 땜에 꾹 참고) … 네.

그렇게 수현 옆에 앉는데 불편한 기색.

유리도, 서로 쳐다보지는 않지만 난감한 기색.

그 두 사람의 눈빛을 느끼는 수현.

(시간 경과)

고은은 이미 들어갔고… 마주 앉은 세 사람. 뭔가 공기가 어색하고.

수현	두 사람, 오늘 왜 이렇게 말이 없어?
유리	(찔려서) 어?
수호	(불편…)
수현	둘 다 이상하네. 뭐야.
수호	(말하려는데)

유리	실은… 그 날, 엄마 집에서 언니 본 날, 내가 좀 감정이 격해져 가지고… 수호 씨한테 큰 실수했어. 그러면 안 되는데… 손…부터 나갔어.

수호가 따귀를 맞았다는 사실에 수현, 놀라 수호를 쳐다보고.

유리	제대로 사과 했어야 했는데 타이밍을 놓쳤어요. 늦었지만 미안해요.
수호	(이 상황이 불편하고…)
유리	언니한테도 미안해. 내가 주제넘었어….

얼마간의 정적… 그러다….

수현	왜 그랬어. 나한테 가장 소중한 두 사람이 그랬다니까 속상하네.
수호/유리	(…)
수현	나한테는 수호 씨도 너무 소중한 사람이고, 유리 너도 너무 소중해.
수호/유리	(마음이 복잡해지는…)
수현	나 땜에, 두 사람 더는… 그러지 않았으면 좋겠다.

48씬	**N, 수현의 집, 거실**
	수현과 수호, 들어서는데….

수호	(아까는 말 못했던…) 괜히 당신 맘까지 불편하게 했네.
수현	(본다…)
수호	솔직히 유리 씨 보는 거… 아직은 편치 않아. 근데 그럼 또 당신이 불편할 테니까… 이번에는 넘어가자.

수호, 애써 담담하게 먼저 들어가는 걸… 수현, 잠시 바라보는 눈빛.

49씬　　**N, 깊은 밤, 서재**

편한 차림으로 갈아입고 들어와 앉는 수현.

사실… 너무 많이 힘들었던 하루…

그러다 깊숙이 넣어 뒀던… 지웅의 아들이 보낸 사진을 꺼내 드는데…

가려진 여자의 얼굴을 바라보는 수현의 눈동자….

어쩌면… 이 사진… 내가 알고 있는 게 다가 아닐 수도….

(F.O)

50씬　　**(F.I) D, 병원 외경**

51씬　　**D, 병원 카페테리아**

태호, 황급히 달려오는데,

저기 음료와 케이크 주문해 놓고 기다리는… 수현의 모습에.

태호	형수님!
수현	태호야.
태호	(허겁지겁 앉으며) 죄송해요, 오래 기다리셨죠?
수현	아냐. 바쁜 거 아는데 뭐… 어디 가서 밥 사 주고 싶었는데.
태호	다음 오프 땐 근사한 데 가서 밥 먹어요. 제가 살게요. 형수님.
수현	내가 살게. (얼른) 먹어.
태호	네!

수현	(잠시 보다가…) 실은… 뭘 좀 물어보고 싶은 게 있어서 왔어.
태호	(먹으며) 뭔데요?
수현	저번에 1405호에서 봤던 남자애 기억해?
태호	(순간) 아차, 내 정신! 저도 것 땜에 형수님한테 전화해 놓고는.
수현	(보면)
태호	저, 걔 알아요.

52씬　　**D, 한국대 병원, 복도**

게시판 벽에 붙은 사진들 앞에 멈춰서는 수현의 떨리는 눈동자.

심장병 환우회 '정상을 오르는 원정대 연혁(1999년~ 현재)'

그 속에서 누군가를 찾는 수현… 그 위로.

태호 e　　걔, 우리 학교 병원에서 심장 수술을 세 번이나 받았어요.

플래카드 <정상을 오르는 원정대 제6회 가족 봄 소풍> 사진 속,
누군가의 무릎 위에 앉아 있는 '남자아이'

'찾았다….' 요동치는 눈빛으로 수현, 바라보는데.

53씬　　**D, 폐차장**

선율, 용구와 함께 일하는 위로, '띠링' 문자 수신음.

| 용구 | 문자 온 거 같은데? |

그제야 선율, 손 털고 확인하는데.

| 수현 e | 좀 보자. |

54씬   **D, 사무실**
선율, 무심히 옷 갈아입고 거울 보는… 그 눈빛 위로.

| 수진 e | 근데 나 궁금한 거 있어. |

55씬   **(회상) D, 원룸**
수진, 선율과 함께 나란히 앉아서는.

| 수진 | 넌 왜 그렇게 힘들게 돌아가? 그냥 네가 누군지 알려 줄 수 있었잖아. |
| 선율 | (수현을 생각하며…) 그 여자한테 소중한 걸 전부 뺏고 싶으니까. |

56씬   **D, 도로**
굉음을 내며 달리는 선율의 오토바이, 그 위로 파노라마처럼.

INS   *법정 (1화 1씬)*
방청석 한 가운데, 분노와 슬픔으로 수현을 지켜보는 선율.

수현	저는… 다시 돌아간다 해도 같은 선택을 할 것입니다.

INS	**법원 복도**

끌려가는 수현과… 그렇게 복도에 처참하게 혼자 남겨진 선율…

그때 누군가 달려가면서 선율을 퍽 치고. 그 바람에 선율, 넘어지는…

핏발 선 눈동자… 양 주먹 아무리 움켜쥐어 봐도 차오르는 눈물….

교도관 e	성가대 봉사자 분들, 강당 쪽으로 이동하겠습니다!

INS	**D, 교도소 운동장**

봉고차에서 사람들과 내리는 선율. *(하트케어봉사재단' 옷 입은)*

그때 구급 대원과 교도관들, 들것에 사람을 싣고 구급차로 달려오고.

선율 옆으로 스쳐 가는데, 들것에는 의식 없는 수현의 얼굴.

순간 수건에 감싼 수현의 손, 밖으로 툭. *(2화 23씬 미싱에 다친 날)*

선율의 손과 스치듯 지나가는 수현의 손…

선율, 그렇게… 멈춰 선 채… 수현과 스친 손을 서늘하게 내려다보는…

합창단 e	*(노래 소리)*

INS	*강당 (2화 54씬)*

합창단을 따라 눈물로 함께 부르는 수현의 얼굴.

카메라 천천히 지휘자 쪽으로 돌면, 선율의 무표정한 눈빛.

컷 튀면.

선율, 합창단과 단상에서 내려오는데, 강당을 청소하는 재소자들 중,

재소자 1로부터 몰래 쪽지 받는.

쪽지: <양평 화재 사건 피해자한테 일기장을 전해 주라고 부탁 받음>

INS   출소하는 수현의 모습을 지켜보는 시선. *(2화 60씬)*

INS   마주 선 수현과 수호를 지켜보는 시선. *(3화 35씬)*

INS   고은의 등 뒤로, 바라보는 시선. *(4화 22씬)*

모두 선율의 시선이었고.

57씬   **(현재) D, 카페 앞**
도착한 선율, 저기 창가에 앉아 있는 수현을 보는… 위로.

선율 e   그러려면, 나도 소중한 존재가 돼야 하니까.

58씬   **D, 카페 창가**
수현, 서서히 창밖을 보면, 저기 걸어오는 선율의 모습에….

수현 e   선율아. 너에 대해서 생각해 봤어.

내가 마음이 쓰였던 저 아이를… 바라보는 수현의 눈빛… 그 위로.

cut to　빠르게 컷컷 되는 장면들

"(우산 건네주고) 쓰고 가요.
아이가 보면 마음 아플 거 같아서." (2화 67씬)

"그래서? 나, 어때 보여요? 잘 사는 거 같아요?" (3화 22씬)

"어떤 상처요? 그럼, 내가 어떻게 살았을 거 같아요?" (5화 40씬)

"그런 말 할 주제나 돼? 당신, 살인자잖아?!" (6화 41씬)

"그 아들 한번 만나 볼래요?" (6화 58씬)

은민에게 미친 듯이 CPR 하는 선율. (6화 4씬)

수현 e　　사실 나는….

INS　　***폐차장 사무실*** *(45씬 이전 상황)*

　　　　수현, 문 확 열고 들어와 떨리는 눈동자로 빠르게 둘러보면,
　　　　벽에 걸린 작업복. 카메라. 라면 박스. 환우회 달력.
　　　　순간, 휙 다시 맨 처음 봤던 작업복 보는데!
　　　　작업복 주머니 밖으로 체인(목걸이 줄) 삐져나와 있는.

　　　　플래시백

선율　　우리 엄마 사진이 있다고! (3화 24씬)

수현, 체인을 확 잡아 빼는데 그 목걸이다.
수현, 떨리는 손으로⋯ 열림 버튼, '탕' 하고 누름과 동시에,
흔들리는 수현의 눈동자. (c.u)

INS　　*한국대 병원, 복도 (52씬 이어서)*

플래카드 <정상을 오르는 원정대 제6회 가족 봄 소풍> 사진 속,
누군가 무릎에 앉아 있는 '남자아이'를 보는 수현의 눈동자로.

INS　　*봉안당 아들 얼굴 vs. 원정대 사진 속 아들 얼굴이 다른.*

(40씬, 52씬)

태호 e　　걔, 제 의대 후배였어요.

수현, 각오하고, 아이를 안고 있는 남자를 올려다보는데⋯
지웅의 얼굴!

순간, 알고 있었지만, 온 세상 소리가 사라지며 휘청!
동시에, 열림 버튼, '탕!' 소리와 함께, 목걸이 안에 들어 있는.
은민의 얼굴!

수현 e　　사실 나는⋯ 다 알고 있었어.

현재　카페

수현을 내려다보는 선율.

수현 e   너구나, 선율아.

그렇게, 자신 앞에 선 선율을 올려다보는 수현.

7화 엔딩

그 일은…

잘못된 일이라고 생각합니다.

그렇지만,

저는…

다시 돌아간다 해도 같은 선택을 할 것입니다.

선처, 바라지 않습니다.

─ 수현 ─

건우야…

이제 그만… 엄마랑… 집에 가자.

우리, 소풍도 가기로 했는데…

아픈 주사들 다 빼고… 이제 그만… 집에 가자, 건우야….

- 수현 -

What a WONDERFUL WORLD

그저 할 수 있는 일이라고는 매일 같이 그날로 돌아가는 꿈을 꾼다.

하지만, 눈 뜨면, 또다시 지옥, 그저 매일 같이 기도할 뿐.

시간이 나를 죽음으로 데려가 주기를.

- 수현 -

아니요, 저는, 후회하지 않습니다.

― 수현 ―

사람은 변해. 나도. 당신도….

이제 내 인생에, 당신 자리는 없어.

― 수현 ―

What a WONDERFUL WORLD

그저, 아이를 잃은 엄마였습니다.

그리고 법은 그자를 용서했고,

이제 그녀를 범죄자라고 부릅니다.

시청자 여러분,

그녀가 왜 이런 선택을 할 수밖에 없었는지

단 한 번이라도 생각해 주십시오.

누가, 그녀를 심판할 수 있습니까!

- 수호 -

쓰고 가요. 아이가 보면 마음 아플 거 같아서.

- 선율 -

W h a t   a   WONDERFUL WORLD .   .   .

우리, 다시 같은 시간을 걷자.

이제부턴 너의 시간 속에 항상 내가 있을게.

- 수호 -

저는, 제 목숨보다 더 소중한

한 아이의

엄마였습니다.

그리고 하루아침에 그 아이를 잃었습니다.

매일 그 사실을 받아들이려 애쓰지만

그러지 못할 때가 더 많아요.

내 남은 가족을 지키기 위해서라도,

언제나 건우에게 부끄럽지 않은 엄마이자

어제보다 더 나은 아내가 되도록

노력하며 살겠습니다.

– 수현 –

우리 관계를 다시 회복하는 데

얼마나 걸릴지는 모르겠어.

그렇지만… 나는 최선을 다해 보려고.

이게… 내 선택이야.

－수현－

사실 나는… 다 알고 있었어.

너구나,

선율아.

– 수현 –

What   a   WONDERFUL WORLD . . .

What a WONDERFUL WORLD . . .

원 더 풀 월 드

WONDERFUL WORLD

상

초판 1쇄 인쇄
2024년 5월 08일
초판 1쇄 발행
2024년 5월 16일

글
김지은

펴낸이 백영희	**펴낸곳** 너와숲ENM	**주소** 14481 경기도 부천시 부천로354번길 75, 303호	**전화** 070-4458-3230
전화 제2023-000071호	**ISBN** 979-11-93546-27-7(04680) 979-11-93546-26-0 세트	**정가** 24,000원	©김지은
이 책을 만든 사람들	**편집** 허지혜 **마케팅** 유승현	**제작처** 예림인쇄	**디자인** 글자와기록사이

세상에는

법으로
처단할 수 없는

악이
존재한다.

복수가

존재하는
이유다.

법의 망을 벗어난 가해자를
직접 처단하며 벌어지는
감성 힐링 스릴러 <원더풀 월드>!

소중한 사람을 잃는다는 건, 아무리 오랜 시간이 지나도 외로운 일이다.
그러나 계속 흘러가 보려고 한다.
그렇게 가다 보면 언젠가는 아픔이 덜한 시간에 가 있을 것이다.

ISBN 979-11-93546-27-7 04680 (상권)
ISBN 979-11-93546-26-0 (세트)

값 24,000원